Cantos de Sirena

SIETE RELATOS APLICADOS AL

MATRIMONIO

Cantos de Sirena

SIETE RELATOS APLICADOS AL

MATRIMONIO

Dr. Daniel Villa

Cantos de Sirena, siete relatos aplicados al matrimonio.

Contacte al autor:
Dr. Daniel Villa
Email: dnvilla99@gmail.com
www.impactofamiliar.com

Título original:
Cantos de Sirena, siete relatos aplicados al matrimonio.
Diseño de Portada: Ronald Solís
Ilustraciones: Junior Sánchez
Corrección de estilo: Nahúm Sáez

ISBN: 0-9758966-1-X

Categoría:
Vida matrimonial

Impreso en Estados Unidos de América

Dedicatoria

A mi esposa Naíme, compañera y amiga.
A mis hijos Jessica, Lisset, Patricia,
Dan, Alex y Raúl.
A mis padres Ramón Villa y Gladys Ventura.
A mis amados hermanos.

Reconocimientos

A mi esposa Naíme por su paciencia y ayuda en la elección del material. A Nahúm Saéz por su colaboración en la edición y revisión. Al pastor Dío Astacio por sus ideas y aportes a la producción de esta obra. A Bailey Solís por su esmerado trabajo en la portada de este libro. A Junior Sánchez por las ilustraciones.

Índice

Dedicatoria

Reconocimientos

Prólogo

Introducción

1. Leche, huevo y tocineta: Compromiso total.

2. El caballo de Troya: Proteja su matrimonio.

3. Quemar las naves: Rechace el divorcio.

4. El talón de Aquiles: Debilidades vs. Fortalezas.

5. Ojo por ojo y diente por diente: Un principio a desechar.

6. Cantos de sirena: No a la infidelidad.

7. La regla de oro: Conducta de diamante.

Prólogo

Nuestra sociedad actual adolece de una enfermedad endémica que ataca las fibras de la estructura que la sostiene. Como en todo padecimiento nuclear, el flagelo embiste contra ella con el fin de desarticular el sistema inmunológico que sirve de protección a toda esa colectividad. Estamos hablando de la familia, tradicionalmente conocida como el núcleo de la sociedad y, en particular, de su eje principal: la institución del matrimonio. En referencia al matrimonio, el famoso Sócrates le dijo una vez a uno de sus discípulos: "Cásate, si consigues una mujer buena, serás feliz; si no, te volverás filósofo".

Aunque es un chiste popular, la perspectiva del filósofo es irrelevante para tener un buen matrimonio. Sin embargo, los "aparentemente" mejores matrimonios en la actualidad parecen haberlo adoptado como regla y principio elemental para mantener la vida hogareña.

Para contrarrestar este mal tan extendido por todo el mundo, se han escrito muchos libros. Tantos que una de las secciones importantes de cualquier librería es la de los temas sobre el matrimonio. Más ahora en el mundo cibernético que goza de una extensísima variedad de obras preparadas por diversos profesionales en la materia. Particularmente he trabajado en una lista interminable de libros escritos por gurúes de este tema, obras que me han enseñado mucho al respecto; por lo que agradezco a Dios la oportunidad que me ha dado de servir en el campo editorial.

Sin embargo, esta obra del Dr. Daniel Villa —Cantos de Sirena, siete relatos aplicados al matrimonio— me ha encantado literalmente por el buen gusto que emplea para combinar verdades básicas escriturales con la sabiduría que destila la literatura universal tan poco conocida hoy. El autor, Daniel Villa, selecciona algunos relatos populares, refranes e historias de la literatura universal antigua y los combina agraciadamente con textos de las Sagradas Escrituras a fin de ilustrar los principios cristianos que deben ser los fundamentos de una excelente relación matrimonial.

El Dr. Villa escribió Cantos de Sirena, siete relatos aplicados al matrimonio, en una manera sencilla, amena y muy bien documentada, con el interés primordial de ayudar a las personas cuyos matrimonios están atravesando por valles de sombras. Su docta y compasiva exposición hace que el lector no deje de leer esta obra debido a que está impregnada de una sana y sacra doctrina inspirada en la Biblia, el manual de fe y conducta de todo creyente y de todo matrimonio en el que se desee imponer una vida eficaz y sobre todo santa.

En esta obra usted encontrará temas esenciales para un matrimonio excelente, puntos como el compromiso, el amor mutuo, el perdón mutuo, el respeto mutuo, la consideración a la pareja; además conocerá los aspectos negativos que producen la venganza, el rencor y el odio en las relaciones matrimoniales.

El Dr. Villa es un pastor, orador y consejero profesional muy calificado. Ejerce su profesión hace 30 años. El material de esta obra es resultado de su práctica diaria, en la que ha visto muchos hogares disfuncionales transformados por la Palabra de Dios y su objetiva orientación profesional.

Cantos de Sirena, siete relatos aplicados al matrimonio, es una obra que no solo ha cautivado mi corazón por lo genial y acertado de su planteamiento; me ha enriquecido de tal manera que no dudo en recomendar su lectura. Es un libro muy calificado, por lo que exhorto altamente que lo lea en compañía de su cónyuge, no solo para beneficio de usted, carísimo lector, sino también para el de su pareja y de su familia: La familia de Dios.

Nahúm Sáez
Editor

Introducción

¿Cuál será el futuro de nuestro matrimonio? ¿Estamos construyendo un porvenir juntos o vamos caminando hacia el fracaso? Cada día, cada mes y cada año que vivimos juntos, ¿nos van uniendo o separando? ¿Seremos parte de las estadísticas de matrimonios divorciados en un par de años? ¿Se unirán nuestros hijos a la larga lista de hijos sin padres en casa? ¿Hay alguna esperanza? ¡Claro que la hay!

La crisis matrimonial es aguda y crece como una epidemia. El cincuenta por ciento (50%) de las familias estadounidenses participan hoy en segundas uniones. El promedio de duración de un matrimonio actual es de siete (7) años, y uno de cada dos matrimonios termina en divorcio. El setenta y cinco por ciento (75%) de las personas que se divorcian se vuelven a casar. Sin embargo, aproximadamente el sesenta y seis por ciento (66%) de las parejas unidas por segunda vez, y que tienen hijos del primer matrimonio, se separan. Un cincuenta por ciento (50%) de los sesenta millones de niños menores de trece (13) años viven con uno solo de sus padres biológicos y su nueva pareja.[1]

Necesitamos valorar nuestro matrimonio y trabajar cada día en él. Al escribir esta obra lo hacemos con el propósito de brindar al público una herramienta útil, pero a la vez, de lectura fácil y amena. En este libro usamos relatos y expresiones populares que forman parte de nuestro vocabulario cotidiano.

---

[1] Nos divorciamos.com. *Las alarmantes estadísticas del divorcio.* http://www.nosdivorciamos.com/?quien=bW9kdWxvPWludGVybmEmdGFibGE9YXJ0aWN1bG8mb3BjaW9uPTE3 (enero 16, 2014).

Jesús solía contar historias cortas para ilustrar verdades grandes y profundas. Las parábolas eran en base a cosas conocidas por su auditorio. Eran fáciles de recordar, por lo que el aprendizaje se daba de una manera entretenida y casi indirecta. Las verdades quedaban grabadas en las mentes al recordar las historias.

Al utilizar estas narraciones no estamos necesariamente avalando las historias que cuentan, sólo aprovechamos el conocimiento general que se tiene de ellas como un recurso para la vida matrimonial.

Su familia constituye su mejor y mayor inversión, por eso su matrimonio es el eje de ella. Aquí encontrará recursos frescos, con fuerte base bíblica que le ayudarán en el fortalecimiento de su relación matrimonial. Cada historia toca un tema pertinente a nuestros días, con aplicaciones prácticas y contadas de manera encantadora para una lectura fácil, a solas o en pareja.

Capítulo 1

Leche, huevo y tocineta

Compromiso total

"Esposos, amen a sus esposas como Cristo amó a la iglesia y dio su vida por ella".
Efesios 5:25 (DHH).

Leche, huevo y tocineta
Compromiso total

Una de esas historietas que nos contaban los abuelos dice que en una antigua granja varios animales discutían si celebrar el cumpleaños del patrón. Reunidos, con gran entusiasmo, hablaban de todas las posibilidades que tenían para elogiar a su amo y señor. La gallina cacareando de contenta dijo que ella con mucho gusto pondría una docena de huevos frescos. La vaca, después de un largo discurso en el cual exaltaba las bondades del patrón ofreció, rebosante de alegría, toda la leche que se fuese a consumir para tal fiesta. El cerdo por su parte, que sabía cuánto le gustaba al dueño celebrar comiéndose un rico desayuno con leche, huevo y tocineta, exclamó con un gesto de disgusto y de pocos amigos: Pues conmigo no cuenten, ¡porque a mí no me gustan las fiestas!

Para conseguir los ingredientes de un desayuno que incluya leche, huevo y tocineta necesitamos la participación de la vaca, la gallina y el cerdo. Los tres animales dijeron presente en la adquisición de los elementos esenciales para ese desayuno. Fijémonos también que sin la colaboraron y el esfuerzo decidido de estos tres animales jamás podría hacerse un desayuno así.

Sin embargo, considerando el nivel de compromiso de cada participante con el producto final nos damos cuenta que no fue equitativo. Para la vaca y la gallina, aunque implicaba presencia, esfuerzo, molestia y hasta dolor —si se quiere—, el festejo no requirió mucho compromiso por parte de las dos, como ocurrió con el cerdo. Para la vaca y la gallina, aunque hicieron su parte, les resultó fácil porque su participación no las comprometía del todo. Su aporte no fue nada nuevo o fuera de lo normal, era básicamente lo que hacían todos los días, proveer para múltiples desayunos. Por tanto, al ofrecer su ayuda en esta ocasión especial no estaban haciendo un esfuerzo extra.

Ahora bien, la historia del cerdo es diferente. Este está absolutamente comprometido con el desayuno. Sólo el cerdo lo da todo en esa relación. A decir verdad, la caricatura anterior no le hace completa justicia, porque él no sólo pierde una pata al participar en tal desayuno. El cerdo tiene que morir para estar presente. Es el único que resulta con un compromiso total y absoluto en pro del fin o propósito final.

Una vez escuché al conocido conferenciante y escritor Camilo Cruz hablar del compromiso total usando la figura de los huevos con tocineta y él decía: "Para el cerdo los huevos con tocineta son una filosofía de vida. El cerdo da su vida por los huevos con tocineta".

Asimismo en cada empresa que nos embarquemos, en cada causa que abracemos debemos dar el máximo. El éxito o el fracaso de lo que hagamos estará en parte determinado por el compromiso con el cual nos involucremos en el desarrollo o consecución del objetivo. ¿Por qué muchos estudiantes abandonan la escuela? ¿Por qué nunca terminaron esa carrera

El compromiso que tengamos con la tarea que realizamos marcará la diferencia

universitaria? ¿Por qué nos desanimamos con un negocio? ¿Por qué no terminamos de escribir ese libro? ¿Por qué no alcanzamos nuestros sueños? ¿Por qué fracasan los matrimonios? En todos estos casos la respuesta es la misma. Más allá de las dificultades propias que implica toda tarea, más allá de los tropiezos y demandas que enfrentamos, el compromiso que tengamos con la tarea que realizamos marcará la diferencia.

Pero definamos compromiso. Una definición de este término dice lo siguiente:

> "La palabra compromiso deriva del término latino compromissum y se utiliza para describir una obligación que se ha contraído o una palabra ya dada... Se dice que una persona se encuentra comprometida con algo cuando cumple con sus obligaciones, con aquello que se ha propuesto o que le ha sido encomendado. Es decir que vive, planifica y reacciona de forma acertada para conseguir sacar adelante un proyecto, una familia, el trabajo, sus estudios, etc.... Se considera que una persona está realmente comprometida con un proyecto cuando actúa en pos de alcanzar objetivos por encima de lo que se espera"[2].

Vale preguntarse si la expresión "compromiso total" no resultaría un pleonasmo, es decir, una repetición innecesaria. Porque el compromiso realmente no es tal cosa si no es total. Sin embargo, considerando los problemas que tenemos con el compromiso, sigamos usando la frase "compromiso total".

---

[2] Definicion.de. compromiso: http://definicion.de/compromiso/. (Octubre 18, 2013).

Uno de los más grandes enemigos que tiene que enfrentar nuestra presente sociedad es la carencia o falta de compromiso. Eso trae como consecuencia que veamos la proliferación de vidas sin propósitos y sin metas claras. Es un problema tan abundante que parece que se ha convertido en una filosofía de vida. Tenemos estudiantes sin compromiso. Familias sin compromiso. Relaciones sin compromiso. Ciudadanos sin compromiso. Creyentes sin compromiso.

Alfonso Aguiló en su escrito Carácter, libertad y compromiso afirma:

> "Eludir el compromiso es esquivar la realidad. Es ineludible comprometerse porque la vida está llena de compromisos: en el plano familiar, en el profesional, en el social, en el afectivo, en el jurídico y en muchos más. La vida es optar y adquirir vínculos; quien pretenda almacenar intacta su capacidad de optar, no es libre: es un prisionero de su indecisión»[3].

El compromiso requiere un conocimiento de aquello que estamos aceptando. Es necesario saber de antemano los alcances, requisitos y obligaciones que supone el compromiso. Sin ese conocimiento no puede haber una obligación o entrega real y sincera a la causa. Necesitamos saber a qué nos estamos comprometiendo y qué se espera de nosotros.

Contra el deseo de realizar nuestros sueños se alzan la dejadez, la flojera, las limitaciones económicas, las regulaciones y la burocracia de los procesos. La lista prosigue con las limitaciones físicas, dificultades

[3] Alfonso Aguiló. Carácter, libertad, compromiso. http://www.interrogantes.net/Caracter-libertad-compromiso/menu-id-22.html. (Enero 3, 2014).

mentales que nos imponemos, y las limitaciones propias de la vida. Eso sin olvidar el egoísmo, la maldad y la fuerza de voluntad de todos los involucrados en el caso. Recordemos que todas esas cosas, en menor o mayor grado, están presentes en todo proceso de vida. Sin embargo, a pesar de todo eso muchos triunfan. ¿Qué logra hacer la diferencia? La diferencia mayúscula la logra el compromiso que tengamos con nuestra causa y el compromiso que tengamos unos con otros.

No puedo pensar en algo que usted no pueda lograr si está cien por ciento comprometido con ello. Por favor, no hagamos una lista de cosas irreales con las cuales no estemos comprometidos y que, en verdad, sean sólo ideas y sueños muy baratos en los cuales no estemos decididos a invertir. Sin embargo, nos sobran las historias de logros y triunfos que, contra todo pronóstico, hicieron posible lo que parecía imposible. Todas y cada una de las personas involucradas en esos casos, llevan inscritas en sus vidas, esculpidas con sangre y fuego, las palabras compromiso total. John Maxwell dice: "Las personas no saben realmente si están comprometidas con algo hasta que enfrentan la adversidad."[4]

No puedo pensar en algo que usted no pueda lograr si está 100% comprometido con hacerlo

En cuanto a su relación matrimonial, ¿qué rol desempeña usted? Utilizando la ilustración con la cual iniciamos, ¿cuál de los compromisos ilustrados por la vaca, la gallina o el cerdo representa mejor el suyo? Parece ser que la vaca es la menos comprometida. La gallina parece hacer un mayor esfuerzo, pero el cerdo está totalmente comprometido. Otra vez, ¿qué rol tiene

[4] John C. Maxwell. Las 17 cualidades esenciales de un jugador de equipo (Nashville: Thomas Nelson, Inc., 2001), p. 27.

usted en su relación matrimonial? Piénselo un poco.

En ocasiones es muy claro que no estamos comprometidos y podemos decirlo sin pena, pero en otros casos realmente creemos estarlo sin ser realmente así. ¿Sabe ya cuál es su compromiso? Veamos si podemos descubrirlo.

La mayoría de las parejas van al matrimonio con el deseo de que sea para siempre, pero no con la decisión de que así sea.

Alguien dijo alguna vez que la mayoría de las parejas van al matrimonio con el deseo de que esa relación sea para siempre, pero no con la decisión de que así sea. La diferencia está entre el simple deseo y la decisión firme, es decir, el compromiso total y completo de mantener la relación. Obviamente ambos deben tener el mismo nivel de compromiso. ¿Cuál es su caso? ¿Es el de la gallina o el de la vaca?

Debemos identificarnos con el rol del cerdo. Felicitaciones si ese es el suyo. El matrimonio hay que enfrentarlo con un compromiso total y absoluto. Hablo de dar la vida por él, para disfrutar de la vida en él. Hablo de tratar al cónyuge como de la realeza para poder recibir el mismo trato especial. Es renunciar a todo para darle a esa persona el primer lugar en nuestras relaciones humanas. Esto es compromiso total.

Tal y como lo hace el atleta olímpico que renuncia intencionalmente a diversiones, placeres, trabajo o cualquier otra cosa que consuma su tiempo para dedicarse a la meticulosa práctica de su deporte, sabiendo que es la única forma de estar listo para dar el máximo. Es el compromiso que tiene consigo mismo, con su equipo y con su nación lo que lo hace, intencionalmente, dejar de lado todo por lograr su sueño olímpico. Ahora bien, si eso se hace por los deportes, sin ninguna crítica, ¿por qué debe parecernos un esfuerzo extraordinario si lo hacemos para mantener saludable la relación más estrecha e importante de la vida? La respuesta es que no estimamos el matrimonio ni le damos el valor que exige.

Tenemos que ir al matrimonio decididos a que durará toda la vida. Pero, como sabemos, todo compromiso de largo plazo tiene —para hacerse realidad—, que reducirse al hoy. Hoy seré fiel, hoy haré mi mayor y mejor esfuerzo. Hoy voy a mostrar amor. Hoy seré comprensivo. Hoy voy a perdonar. Hoy haré que mi amor cubra multitud de faltas. Hoy daré mi milla extra. Hoy no seré rencoroso. Hoy me mostraré amable y afectuoso. Hoy le diré a mi cónyuge cuánto amor le tengo. Hoy, hoy.

Recuerdo que en mi pueblo los pequeños comercios de venta de comestibles tenían un letrero que decía: "Hoy no fío, mañana sí". El asunto es que cada día el anuncio decía lo mismo. Eso se debía a que el anuncio ponía el énfasis en el hoy. Hoy daré el máximo por mi matrimonio. Hoy pensaré en cómo agradar a mi familia. Hoy renovaré mi compromiso de poner a mi familia primero. Hoy tomaré tiempo para escuchar a los miembros de mi familia. Hoy.

En el evento *Un fin de semana para recordar*, producido por el ministerio FamilyLife y que también imparte Impacto Familiar, uno de los temas que compartimos con los participantes es: *Cinco amenazas a la unidad del matrimonio*. Una de esas amenazas reza así: *"Las parejas que van al matrimonio equipadas solamente con el modelo que ofrece la sociedad, verán amenazada su relación matrimonial"*[5]. El modelo que la sociedad ofrece

---

[5] Impacto Familiar, Seminario de Vida Familiar (Little Rock: Christian Life Incorporated, 2003), p. 32.

consiste en un compromiso por partes iguales.

Sin ninguna meditación previa, los novios abrazan o aceptan ese modelo o acuerdo. Es decir, que cada uno de los integrantes de la pareja llegue al matrimonio aportando un cincuenta por ciento. Esto para juntos tener el cien por ciento, digámoslo así, de la inversión que requiere el negocio que llamaremos "matrimonio", en el cual cada pareja entra cuando se casa. Pero, lastimosamente, eso no funciona así. Y las alarmantes estadísticas de divorcios lo confirman.

La empresa matrimonial exige, contrario a cualquier otro negocio comercial, que sus socios aporten el cien por ciento cada uno, no sólo el cincuenta por ciento. Porque cuando sólo entrego el cincuenta por ciento, consciente o inconscientemente, sólo me comprometo en un cincuenta por ciento. Es decir, que sólo soy responsable del cincuenta por ciento del éxito del matrimonio. Que sólo soy responsable del cincuenta por ciento de la fidelidad al mismo. Que sólo soy responsable del cincuenta por ciento del cariño dispensado en la relación. Que sólo soy responsable del cincuenta por ciento de las atenciones y cuidados que nos prodigamos. Y que si fracasa sólo seré responsable, a lo máximo, del cincuenta por ciento de la culpa.

Para algunos puede sonar razonable lo del cincuenta por ciento —en partes iguales— porque se pone el énfasis en que es un asunto de dos y cada cual se compromete con su parte. Pero créame, no funciona de ese modo en el matrimonio. Pensemos en una empresa que emplea a una persona a medio tiempo. Ahora preguntémonos, qué significa medio tiempo en ese empleo: ¿el tiempo que le da a la empresa o su compromiso con ella? ¿No esperaría usted que su empleado a medio tiempo diera

el cien por ciento de su capacidad? ¿O se conformaría con el cincuenta por ciento?
De igual manera, ¿no esperaría que esa persona también diera el cien por ciento de su honradez, el cien por ciento de su disposición en su tiempo de trabajo, el cien por ciento de sus habilidades y conocimientos, así como el cien por ciento de su interés? ¿Es o no cierto que lo mismo esperaríamos de un empleado a tiempo completo? Sí, esperaríamos lo mismo de su compromiso con la empresa. Si esperamos tal compromiso de un empleado, ¿por qué esperar que el matrimonio funcione si sólo damos el cincuenta por ciento?

Por favor, piense en esto, ¿es su matrimonio a tiempo completo o a medio tiempo? Responda, por favor. ¡Correcto! Es a tiempo completo. Es a cien por ciento. ¿Por qué entonces, pensamos que puede funcionar si sólo nos comprometemos con el cincuenta por ciento? ¿Acaso no exige el matrimonio fidelidad total? ¿Puede lograr eso si sólo está comprometido con el cincuenta por ciento de la fidelidad? Fidelidad total exige compromiso total. No puede ser de otra manera. El matrimonio requiere un compromiso del cien por ciento. Maxwell también dice: *"Si quiere tener un equipo sólido trátese de negocios, club social, matrimonio o una organización voluntaria— deberá tener jugadores que estén firmemente comprometidos con el equipo"*[6].

El arreglo del cincuenta por ciento es una clara manifestación del egoísmo humano. Porque esa actitud declara a alta voz: "Si no haces tu parte, yo no hago la mía". "Si no me hablas, no te hablo". "Si no me perdonas, no te perdono". "Si tú no... yo tampoco". Entonces la relación se estanca porque ninguno de los dos va un

[6] Maxwell, op. cit. p. 34.

poco más allá del cincuenta por ciento. Ninguno vence el orgullo ni se sacrifica por el bien de ambos y de la relación.
Otro problema con eso es que nunca sabemos si la otra persona, en verdad, está haciendo su cincuenta por ciento. Si se le pregunta al esposo, tal vez diga que está haciendo el ochenta por ciento y que su esposa sólo hace el veinte por ciento. Lo más probable es que si le pegunta a ella su respuesta sea tan egoísta e irreal como la de él.

Si usted está casado o casada y hasta ahora no se ha comprometido completamente en esa relación, cambie hoy mismo. Analice cada aspecto del matrimonio. Vea qué está funcionando y qué no va muy bien. Deje de buscar culpables, deje de culpar a la otra persona. No procure que su cónyuge cambie, hágalo usted.
Vea esas áreas en las que sólo estaba dando una porción de usted y cambie de actitud. Observe esas otras áreas en las que realmente pueda decir que ha estado dando hasta un cincuenta por ciento , que era el tope, y comience hoy a dar el máximo posible a su relación.

No espere que venga alguien más a hacerlo, eso le toca sólo a usted. Así que hágalo y hágalo hoy. No tiene que dar muchas explicaciones, sólo inicie el cambio. Empiece a ser esa persona que usted puede ser en su matrimonio. Olvídese de la tacañería autoimpuesta como respuesta a las actitudes que la otra persona asumió. Sólo empiece a dar el máximo. Nada menos que eso: el máximo. Nada de usar el rol de la vaca o la gallina, hay que jugar el papel del cerdo. ¡Todo o nada!

El matrimonio, lejos de ser bien ilustrado por un desayuno con leche, huevos y tocineta, más bien debe ser representado por un caldo o sopa a tres carnes.

Como esos platos de sopa, sancocho, o como usted lo conozca, ese caldo que preparan con carne de res, de cerdo y de pollo. Es decir, un plato en el que todos los implicados dieron el máximo que podían dar. En que cada participante dio su cien por ciento. El matrimonio es igual, exige su vida. Una entrega total y sin reserva alguna para esa persona que amamos y con la cual deseamos pasar el resto de nuestras vidas.
El compromiso total o jugar el rol del cerdo sólo puede compararse con el amor. Cuando uno ama de veras, se compromete con la persona amada y con esa relación que existe entre los dos. Sí, amar es comprometerse, amar es dar el máximo.
Veamos que nos dicen las Escrituras:
Leemos en Efesios 5:25 (DHH). "Esposos, amen a sus esposas como Cristo amó a la iglesia y dio su vida por ella". Para mí, esta es la solicitud más grande que se le puede hacer a un hombre casado. Llegar a amar a su esposa como Jesucristo amó a la iglesia. Preguntémonos entonces, ¿cómo amó Cristo a la iglesia? El mismo verso responde que él dio su vida por ella. Por tanto, vemos que Jesús amó a la iglesia con esa clase de amor que llega hasta el sacrificio. Un amor desinteresado, leal, comprometido, que pone al otro en primer lugar.

Jesús les dijo a sus discípulos: "Les doy este mandamiento nuevo: Que se amen los unos a los otros. Así como yo los amo a ustedes, así deben amarse ustedes los unos a los otros".[7] Este mandamiento está por encima del que dice que debemos amar al otro como a nosotros mismos. Si Jesús nos hubiera amado como se amaba a sí mismo, entonces no habría muerto por nosotros. Él nos amó más que a sí mismo dando su vida por nosotros.

---

[7] Juan 14:34, DHH.

Jesús nos dejó un nuevo mandamiento, con el que nos pide amar tal y como él amó. Ese es el más elevado amor que se pueda tener. Es darse por el otro. Es entregarse por completo, aun dando la vida por amor, tal y como él la dio. ¿Acaso no es esto compromiso total y completo? La mayoría de los problemas e inconvenientes en el matrimonio vienen porque no soportamos que violen nuestros derechos, sea esa acción real o imaginaria. Pero cuando tomamos la actitud que la Biblia nos pide de amar al cónyuge como Jesús amó a la iglesia, con solo intentarlo, vemos que eso cubre multitud de faltas; por lo que estaríamos mucho más dispuestos a comprender y mostrar empatía. Es decir, ponernos en los zapatos del otro y tratar de ver las cosas tal y como el otro las ve, antes que defendernos, aunque no nos estén realmente atacando.

Si seguimos la orden bíblica, podemos estar seguros de que el noventa o noventa y cinco por ciento de los problemas en el matrimonio se solucionarían o, sencillamente, no se presentarían. Pero esto requiere un compromiso total. Morir por la persona que amamos si es necesario. Y si yo estoy dispuesto a hacer eso, ¿qué no haría por mi matrimonio? Como ya dijimos, esta es la más alta demanda que se le puede solicitar a una persona casada. Otra vez, amar es comprometerse, amar es dar el máximo. Es jugar el rol del cerdo.

José José canta una canción titulada Amar y querer, en la cual su compositor, Manuel Alejandros, acierta señalando poéticamente los compromisos del amor. La canción dice así:

Casi todos sabemos querer
pero pocos sabemos amar,

es que amar y querer no es igual,
amar es sufrir, querer es gozar.

El que ama pretende seguir,
el que ama su vida la da,
y el que quiere pretende vivir y
nunca sufrir y nunca sufrir.

El que ama no puede pensar
todo lo da, todo lo da,
el que quiere pretende olvidar
y nunca llorar y nunca llorar.

El querer pronto puede acabar,
el amor no conoce el final,
es que todos sabemos querer
pero pocos sabemos amar.

El amar es el cielo y la luz,
el amar es total plenitud,
es el mar que no tiene final
es la gloria y la paz,
es la gloria y la paz,

El querer es la carne y la flor
es buscar el oscuro rincón,
es morder, arañar y besar
es deseo fugaz, es deseo fugaz

El querer pronto puede acabar,
el amor no conoce el final,
es que todos sabemos querer
pero pocos sabemos amar.[8]

---

[8] José José. Amar y querer. http://www.musica.com/letras.asp?letra=32161. (Octubre 12, 2013).

Jesús es nuestro gran ejemplo de vida. Jesús dio lo máximo en la cruz muriendo por nosotros, por el gran amor con que nos amó. Jesús estaba totalmente comprometido con su plan salvífico. Es decir, proveernos un medio por el cual pudiéramos ser perdonados y libres del pecado que nos ataba y nos llevaba a la eterna condenación. Jesús nació con ese propósito. Se encarnó para tomar nuestro lugar y pagar nuestra deuda, la que por nuestras propias fuerzas o justicia era impagable.

Jesús enfrentó tentaciones para llegar a la cruz, pero se mantuvo firme y —a pesar de las burlas y la incomprensión de su propia familia— fue fiel a su causa. Subió a esa cruz sabiendo que sólo así nos salvaba. Su amor eterno le comprometió de manera total y completa. Tal como él lo hizo, hagámoslo nosotros. Todo cambia cuando damos el cien por ciento. Así que, ¡Hágalo hoy!

Concluimos haciendo referencia a un refrán que existe entre el pueblo dominicano. El mismo se usa para señalar a una persona que desea tener o conseguir algo pero con poco o ningún compromiso. Dice así: "A ti te gusta coger los mangos bajitos". Esto es, decir presente, pero hacer el mínimo esfuerzo posible. Ese refrán viene de una décima de don Juan Antonio Alix que lleva ese mismo título: "Los mangos bajitos". Dos de sus estrofas dicen así:

Dice don Martín Garata, persona de alto rango, que le gusta mucho el mango porque es una fruta grata. Pero treparse en la mata y verse en los cogollitos, y en aprietos infinitos.. como eso es tan peligroso, él encuentra más sabroso coger los mangos bajitos.

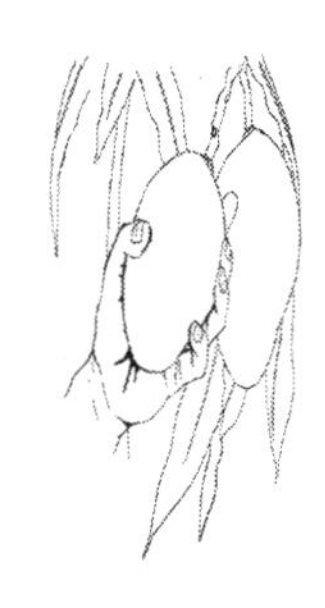

Don Martín dice también que le gusta la castaña pero cuando mano extraña la saca de la sartén, y que se la pelen bien con todos los requisitos; pero arderse los deditos metiéndolos en la flama, eso sí que no se llama coger los mangos bajitos.[9]

Como vemos, don Martín Garata quiere disfrutar de todo sin comprometerse con nada. En el matrimonio no hay opción para la actitud de coger los "mangos bajitos". ¡Todo o nada!

Preguntas para discusión:

1. ¿En qué condiciones consideraría el divorcio como una opción?
   a) Incompatibilidad de caracteres.
   b) Una enfermedad mental o incurable
   c) Una infidelidad.
   d) Problemas financieros.
   e) Cualquiera de las anteriores.
   f) Ninguna de las anteriores.

2. ¿Con cuál de las siguientes declaraciones usted se identifica más?
   a) Mi lugar es con mi cónyuge.
   b) Mi lugar es con mis hijos.
   c) Debo vivir mi propia vida.
   d) Cualquiera de las anteriores.
   e) Ninguna de las anteriores.

[9] Juan Antonio Alix, Décimas dominicanas de ayer y de hoy (Santo Domingo: Publicaciones América, 1986), p. 36.

3. Si usted regresa a casa después de una semana de viaje y lo esperan su familia, incluyendo a su madre, ¿a quién besa primero?
   a) A mi cónyuge.
   b) A mi madre.
   c) A mis hijos.
   d) Al perro.
   e) Ninguna de las anteriores.

4. Si siente que ha dejado de amar a su cónyuge, ¿qué haría?
   a) Me divorcio. No podría vivir con alguien a quien no amo.
   b) Buscaría la manera de revivir el amor, porque el matrimonio es para siempre.
   c) Me daría una oportunidad para comenzar otra vez y, si no resulta, me divorcio; pero no sin antes darnos una oportunidad.
   d) Ninguna de las anteriores.
   e) No sé qué haría.

5. Una encuesta reveló que uno de cada dos encuestados sería infiel si su pareja nunca se enterara. ¿Qué opinión le merece esto?

6. Por favor escoja una de las siguientes expresiones:
   a) El matrimonio es una institución sagrada y es para toda la vida.
   b) El matrimonio debería ser para toda la vida pero en ocasiones no es posible.
   c) El matrimonio es para toda la vida si tienes la pareja adecuada.
   d) El matrimonio dura mientras que haya amor.
   e) El matrimonio es una trampa. No sé cómo caí en ella.

7. Definiciones del matrimonio. Escoja la que más se ajuste a usted.
   a) Es la única guerra en la que se duerme con el enemigo
   b) Sirve para resolver problemas que nunca hubieras tenido si hubieras seguido soltero(a).
   c) Proceso químico por medio del cual una media naranja se convierte en un medio limón.
   d) Matemáticamente: suma de afecto, resta de libertades, multiplicación de responsabilidades y división de bienes.
   e) Ninguna de las anteriores.

8. Si su madre y su cónyuge se están ahogando y sólo puede salvar a una persona, ¿cual escogería?
   a) Obviamente a mi madre
   b) Obviamente a mi cónyuge
   c) A ninguna de las dos
   d) No sabría que hacer

Capítulo 2

El caballo de Troya

Proteja su matrimonio

"Y no es maravilla, porque el mismo Satanás se disfraza como ángel de luz".
2 Corintios 11:14

El caballo de Troya
Proteja su matrimonio

Griegos y troyanos se encontraban peleando una encarnizada guerra que ya llevaba nueve años. Los griegos ya habían perdido a su gran paladín Aquiles, que aunque parecía inmortal, finalmente alguien le hirió en su talón y murió. Esa guerra, tan inútil como todas las demás, había empezado por el amor de una mujer. Helena de Esparta, esposa del rey, se había fugado con París, un príncipe de Troya. Todavía hoy se discute si existió una ciudad llamada Troya. Si fue real esa guerra o sólo parte de la imaginación de Homero, que cuenta acerca de esos conflictos en sus poemas épicos la Ilíada y la Odisea.

Con la muerte de Aquiles, y después de diez años de guerra, los griegos estaban desanimados y listos para retirarse. A pesar de su enorme ejército y de su aun mayor tenacidad, los griegos no habían podido conquistar Troya. La ciudad y sus ciudadanos permanecían seguros y firmes detrás de sus fuertes e indestructibles muros. Ningún esfuerzo o estrategia militar había surtido efecto. Los griegos, desesperados, consultaron con su mago Calcante que les aseguró que no ganarían la guerra a menos que trajeran a Neoptólemo, hijo de Aquiles. Pero nada pasó. Por mandato del mismo vidente también trajeron la osamenta de uno de sus líderes y una imagen de uno de sus dioses. Pero igual, los griegos no conseguían atravesar los muros de Troya.

El adivino Calcante observó cómo un halcón perseguía a una paloma. Esta, tratando de escapar, se metió en la grieta de una roca. El halcón permaneció rondando el lugar y la paloma no salía. Luego el halcón hizo como que se retiraba y se ocultó de la vista de la paloma. Esta, tras esperar un largo rato y al no ver a su atacante, salió de su escondite y fue apresada por el halcón.

Después de narrar a sus compañeros lo que había visto, Calcante dedujo que no debían seguir tratando de asaltar las murallas de Troya por la fuerza. Tendrían que idear alguna estratagema para tomar la ciudad. Después de ello, Odiseo concibió el plan de construir un caballo y ocultar en su interior a los mejores guerreros. Otras versiones de esta historia dicen que el plan fue instigado por Atenea.

Epeo, bajo las indicaciones de Odiseo, construyó un enorme caballo de madera. El caballo era hueco por dentro para poder esconder a los soldados. Una vez que la estatua de madera fue construida, Odiseo y treinta y nueve guerreros griegos más se introdujeron dentro del caballo. El resto de la flota griega se retiró abandonando al caballo, siendo Sinón el único hombre dejado atrás.

Los troyanos al ver que los griegos se retiraban salieron de su ciudad para encontrarse con el inmenso caballo de madera. Sinón, entonces, les hizo creer que aquello era un amuleto para ganar la guerra. También les dijo que sus amigos le habían abandonado y que los troyanos podían ahora aprovechar y usar el caballo como un amuleto para su beneficio. Fue así como los troyanos creyeron las mentiras de Sinón y tomaron el caballo para

ofrecerlo a sus dioses, ignorando que era un ardid de los griegos para traspasar sus murallas. Sinón también fue con ellos.
De hecho, el tamaño del caballo era inmenso, lo hicieron así para que los troyanos no lo pudieran introducir en la ciudad. Los troyanos tuvieron que derribar parte de los muros de su ciudad para poder introducirlo. Ellos creían que robándoles el "amuleto" a los griegos obtendrían la victoria definitiva en la guerra.

Casandra, portadora del don de la profecía, se opuso a la introducción del caballo en la ciudad, ya que sabía que ese sería el fin de Troya, pero nadie le hizo caso. Esa misma noche, los troyanos celebraron lo que creían que era su victoria introduciendo el caballo en Troya con todo el esfuerzo que fue necesario.
Cuando Troya cayó dormida por culpa de los efectos del alcohol, Sinón dejó salir a los guerreros griegos del caballo, los que abrieron las puertas de la ciudad. La fuerza invasora entró y masacraron al pueblo troyano.[10]

Usaremos esta historia como ilustración o comparación para hablar de algunos peligros que acechan al matrimonial y algunas de las maneras que tenemos para protegerlo.

Ha de notarse que los troyanos se encontraban seguros detrás de sus murallas. Ningún esfuerzo por dañarlos había tenido éxito en diez largos años. El pueblo se mantuvo firme y unido, por lo que su enemigo no pudo destruirlo. No fue sino hasta que los griegos lograron

---

[10] Miguel García Álvarez, El caballo de Troya, http://recuerdosdepandora.com/mitos/el-caballo-de troya (Junio 27, 2013).

introducirse en medio de ellos que lograron su objetivo. Y lo peor es que fueron ellos mismos, los troyanos, los que le dieron acceso. Mientras ellos se mantuvieron dentro de su ciudad estuvieron seguros.

Al aplicar esta historia al matrimonio, lo haremos considerando dos puntos importantes de la misma. En primer lugar, hablaremos de las murallas de Troya, para referirnos a las murallas que protegen al matrimonio o a la familia. En segundo lugar, miraremos algunos "caballos de Troya" o sencillamente "los troyanos" que pueden atacar nuestro matrimonio hoy; hemos titulado ese punto como *el engaño de los griegos*. Iniciemos con el primero.

Las murallas de Troya

A pesar de la superioridad numérica del ejército griego y de que contaban en sus filas con un luchador casi inmortal como Aquiles, aun así —en una guerra de diez años— no habían podido conquistar la ciudad de Troya. Según

algunos historiadores, las murallas de Troya no eran tan impresionantes como las de otras ciudades de entonces, pero contaban con los avances de la ingeniería hitita. Las murallas medían de siete a ocho metros de altura y tenían un espesor de cuatro metros y medio.[11]

Eso me hace pensar que fue la perfecta combinación de las murallas bien construidas y la unidad del pueblo lo que logró que aguantaran diez años de asedio. Permítame

[11] José I. Lago. ¿Cómo era Troya? http://www.historialago.com/leg_troy_01015_comoera_01.htm (Junio 28, 2013).

preguntarle: ¿Qué le da seguridad a un matrimonio? ¿Qué constituye la fortaleza de un matrimonio? ¿Qué o cuáles cosas le sostienen? Por favor, piense en su propio matrimonio. ¿Cuáles son sus bases y sus fortalezas? ¿Qué le da cohesión y firmeza? ¿En qué o en quién descansa su relación?

De la misma manera que la ciudad de Troya estaba segura y protegida por sus murallas, así también nuestra relación debe estar protegida con fuertes murallas, para resistir el ataque de los enemigos y detractores de nuestro matrimonio. Ellos intentarán destruir o a lo menos dañar su relación y lo harán si se lo permitimos. Las murallas se construyen con dos propósitos: delimitar una propiedad y protegerla. Desde nuestro punto de vista, las murallas que protegen el matrimonio se construyen con tres elementos básicos: Los pactos de la pareja; los mandamientos de mutualidad y los principios bíblicos.

Pactos, acuerdos y promesas.

Estos constituyen el cimiento sobre el cual se edifica la relación. La pareja se conoce e inicia la relación cuando se aceptan uno al otro como novios. Ese trayecto, desde el noviazgo hasta el altar, estará sembrado de promesas, acuerdos y pactos que al compactarse y solidificarse irán definiendo las características distintivas y fundamentales de esa pareja y su relación. De hecho, sin esos acuerdos y pactos, ya sean tácitos o por escrito, la relación muere. Son esas promesas, acuerdos y sueños que sedimentados por el paso del tiempo dan vida al matrimonio.

De igual manera, en el transcurrir de los años y frente a los desafíos de la vida, son aquellos antiguos pero renovados pactos lo que permitirán permanecer firmes frente a los embates que se presenten. Si uno de los

dos rompe u olvida los pactos, acuerdos y promesas que establecieron la relación, esta quedará a merced de los enemigos que tratan de destruirla.
Porque tal como la ciudad de Troya estaba construida en un área delimitada por sus enormes murallas, territorio que los troyanos estaban dispuestos a defender aun con sus vidas; en la relación matrimonial estos pactos son como las murallas que la protegen. Los esposos tienen un territorio que defender, su hogar.
Entonces, seamos fieles a las promesas, pactos y acuerdos establecidos. Manténgalos frescos y al día. Como ya se ha expresado, cada promesa a largo plazo tiene que reducirse a las veinticuatro horas de este día. Por ejemplo, el "te seré fiel toda la vida" tiene que traducirse en "hoy seré fiel a mi pareja".

Cuando el proverbista bíblico está aconsejando a su hijo y le llama la atención sobre la mujer adúltera le dice, entre otras cosas: *¡Goza con la esposa de tu juventud!* [12] Esta expresión, casi un ruego, tiene que ver con la fidelidad a las primeras promesas, a los pactos y los acuerdos que hicimos una vez en la primavera de la relación. Nuestro Dios es un Dios de pactos. Los problemas de Israel, su pueblo, fueron cuando ellos violaron o se olvidaron de los pactos divinos. Dios mostró su misericordia muchas veces perdonando a su pueblo infiel por amor a sus pactos. Eso debe animarnos a ser fieles y cumplidores de promesas. Si deja de lado las promesas hechas, será como un profundo agujero hecho a las murallas que protegen su matrimonio.

Mandamientos de mutualidad.

Cuando hablamos de mandamientos de mutualidad nos referimos a los diferentes sentimientos que deben estar

[12] Proverbios 5:18, NVI.

presentes en cada uno de los integrantes de una pareja o familia y que aparecen en la Biblia como requisitos claves para una buena convivencia. La lista es larga pero, en esta ocasión, nos concentraremos en los tres que entendemos son esenciales y que dan sostén y vida a la pareja que hace de ellos una práctica diaria.

1. Amor mutuo.
La convivencia pacífica y amorosa nunca es fruto del azar. Si deseamos esa condición de vida, tendremos que trabajar por ella. El vivir juntos, el estar cerca, tiende a producir roces entre las personas. Esos roces hay que enfrentarlos sabiamente. La meta no debe ser no tener conflictos, sino más bien enfrentarlos constructivamente. ¿Sabe usted por qué ponemos aceite en el motor de los autos? Sí, si ya sé que si no lo hace se funde el motor. Pero, ¿por qué se funde? También sé que se calienta, pero ¿por qué? Antes que se desespere, le digo a dónde quiero llegar. El motor se calienta porque hay fricción. Pero entendámonos, cuando decimos "fricción" no es que las piezas chocan entre sí, sino que están en alto movimiento y se encuentran muy, pero muy cerca, unas de otras.

El aceite viene a reducir esa "fricción" y mantener la temperatura a niveles seguros. Mientras mejor sea el lubricante, mejores resultados tendremos. Y si usted conoce algo de autos, sabrá que esos lubricantes vienen con distintos tipos de aditivos que prometen mantener y extender la vida de su motor sin disminuir las revoluciones con que se mueve el mismo. Espero no haberle cansado con esto, pero es importante porque nos sirve para ilustrar y entender el concepto.

Usted habrá notado que es más sencillo llevarse bien con las personas que están lejos de nosotros. Eso sucede porque hay menos fricción, menos contacto, menos comunicación entre nosotros. La familia y las parejas en particular, están llamadas a vivir juntas. Eso quiere decir, mostrarse como son y desenvolverse en un ambiente común.

Deseamos que cada familia o cada pareja se desarrolle y alcance su potencial. Esto equivale a decir, alcanzar altas velocidades en poca distancia. Si eso es verdad y lo es, no nos debe sorprender la fricción ni que - por momentos - suba la temperatura en la relación o la familia. Necesitamos, entonces, un lubricante que nos ayude a mantener una adecuada temperatura sin sacrificar el desarrollo de cada integrante en la relación.

Recuerde que mientras mejor sean los aditivos del lubricante, mejor protección tendremos. Creo que los aditivos esenciales del buen lubricante de la relación son: amor, respeto y perdón. Estos tienen la capacidad de mantener su relación al más alto nivel, puesto que le ayudan a enfrentar las altas temperaturas que pueden generar dos seres humanos viviendo juntos. Dos imponentes lumbreras que deben unir sus luces e irradiar juntas enviando el más deslumbrante y hermoso haz de luz. El cual es imposible producir uno solo. Dos mundos llamados a vivir como uno. Dos corazones que deben latir como uno solo.

El amor del cual hablamos es algo mucho más grande y especial que un simple sentimiento que nos venden con frases gastadas y poco reales. Sentimiento que sólo mostramos cuando nos sentimos bien y satisfechos. Un sentimiento condicional y cargado de egoísmo. Un sentimiento que huye y se retrae frente a cualquier esbozo de dificultad.

Sin embargo, debemos recordar que el amor es una decisión. El amor es voluntad empeñada. El amor es sacrificio. Fijémonos cómo lo describe la Biblia: "*El amor es paciente, es bondadoso. El amor no es envidioso ni jactancioso ni orgulloso. No se comporta con rudeza, no es egoísta, no se enoja fácilmente, no guarda rencor. El amor no se deleita en la maldad sino que se regocija con la verdad. Todo lo disculpa, todo lo cree, todo lo espera, todo lo soporta. El amor jamás se extingue... Tres cosas hay que son permanentes: la fe, la esperanza y el amor; pero la más importante de las tres es el amor*".[13]

Al leer estas líneas le invito querido lector, a evaluarse haciéndose las siguientes preguntas: ¿amo yo realmente? ¿Acostumbro mostrarme impaciente y poco benigno o bondadoso con mi cónyuge? ¿Soy una persona envidiosa, presumida, arrogante o grosera? ¿Me muestro irritado e irritable con frecuencia? ¿Procuro salir ganando? ¿Me cuesta perdonar? Por favor, reflexione sobre esto. Lo que quiero decir es que detenga su lectura y medite sobre su relación. Esto no debe ser visto como una lista para descartar qué amamos - al contrario - son puntos importantes en los que necesitamos crecer como personas y como pareja.

Si contestó que sí a una o varias de las preguntas anteriores, ¿qué hará al respecto? Ya expresamos que el amor demanda que se haga algo a favor de la relación y de la persona amada. Le sugiero lo siguiente. En oración, pida a Dios que le traiga a su memoria todos los desafíos de crecimiento que tenga (vea en qué está fallando) y haga un lista de ellos. Piense en un plan de acción. ¿Cómo puedo mostrarme diferente en esos aspectos? Su plan de acción debe tener dos partes:

---

[13] 1 Corintios 13:4-7, NIV.

A y B. La parte A será confrontar a su pareja y confesarle su descuido, su pecado y su falta de interés en los puntos que tiene en su lista. Debe pedir perdón por cada uno de ellos.
La parte B es para que piense cómo va a ejercitarse en esos puntos débiles. Es decir, "si un problema era que me mostraba groseramente, voy a esforzarme por hablar con respeto, amor y delicadeza". Levántese y hágalo sin demora. De nada sirve tener un plan si no lo llevamos a la acción. Recuerde que hay fuerzas contrarias al bienestar de su matrimonio que le harán resistencia para que no ejecute su plan. Ore pidiendo fortaleza y voluntad. Y ejecute su plan.

Pareciera que el amor, al igual que la fe, es un verbo. Es decir, genera acción, exige acción. No hay congruencia alguna entre amar y mantenerse impávido frente a los problemas y demandas de la relación. El amor me mueve a hacer o decir algo a favor de esa relación y de la persona amada. De igual manera, pareciera que sencillamente son incompatibles las maneras en las que usualmente nos tratamos y lo que demanda el verdadero amor.

El amor del esposo estimula el respeto de la esposa hacia él. El amor necesita ser expresado. Podemos hacerlo con palabras y con acciones. Principalmente las damas necesitan oír que son amadas y que son especiales para sus esposos. Los hombres no debemos ser mezquinos en cuanto a dispensarles toda clase de aprecio verbal a nuestras esposas. Otras damas preferirán, además de las palabras, un poco de acción que demuestre y sostenga esas palabras. Tal vez sea algo tan sencillo como recibir ayuda en los quehaceres domésticos, o cuidando a los niños, o haciendo alguna otra cosa útil. Las flores y los regalos especiales en ocasiones comunes le comunican también que son importantes para nosotros. Otra vez, *amor del esposo estimula el respeto de la esposa.* Como alguien dijera, La esposa piensa: ámame y te respetaré; y el hombre piensa: respéctame y te amaré.

2. Respeto mutuo.
El apóstol Pablo, después de decirle al hombre que debe amar a la esposa, se dirige a las esposas. Me imagino que las mujeres estaban esperando oír la misma orden o sugerencia. Pero, interesantemente, las deja con la boca abierta cuando les dice: "*Y ustedes mujeres respeten a sus maridos*". ¿Qué?, dirían ellas. Entonces, ¿nosotras no tenemos que amarlos? Un momento, diría Pablo, no es así, por supuesto que deben amar al esposo. Lo que sucede es que la mujer expresa el amor a su esposo a través del respeto que le otorga. Como lo dijera el Dr. Emerson Eggerichs: *"Sin amor, ella reacciona sin respeto. Sin respeto, él reacciona sin amor".*[14] Y a la inversa: "El amor de él estimula el respeto de ella. *El respeto de ella estimula el amor de él".*[15]

Hablemos del respeto. A la luz de las enseñanzas bíblicas, las características del amor incluyen el respeto y el perdón. Si nos mostramos irrespetuosos, nos costará convencer que realmente amamos. La impaciencia, la rudeza y la grosería crecen y se desarrollan frente a la ausencia del respeto y, obviamente, del amor. Si nos mostramos de manera áspera, dura e irritable nos será muy difícil respetar al otro. El ser desconsiderado(a) nos llevará al irrespeto. Las palabras duras e hirientes, los ademanes que menosprecian y el descuido de la relación constituyen falta de respeto.

---

[14] Emerson Eggerichs, El lenguaje de amor y respeto, (Nashville: Grupo Nelson, 2010), p. 9.
[15] Ibid., 17.

Con relación a los hombres, el respeto les es esencial. Los conocedores de la naturaleza humana señalan el respeto como una de las necesidades emocionales básica que tienen los hombres. El hombre no concibe el amor sin el respeto cuando se trata de su persona. El hombre que no se siente respetado en su casa preferirá permanecer más tiempo en su trabajo, si allí se le respeta. Si la dama le falta al respeto a su marido en público, este se sentirá profundamente abochornado y herido en lo más íntimo. Cualquier falta o debilidad expuesta en público le será como una puñalada.

Si usted dice: "Este hombre no sirve para nada", él se sentirá que va cayendo en un precipicio que no tiene fin. Se sentirá humillado, como que su vida no tiene propósito. Pensará que nada vale su esfuerzo y que está perdiendo su tiempo con esa relación.

Por otro lado, si él le escucha decir: "Mi esposo es un gran proveedor" o "Es un gran padre". O, "Estoy orgullosa de mi esposo". Eso le hará crecer y sentirse Superman. Le proporcionará nuevas fuerzas, las que empleará con ánimo pronto para cuidar la relación.

Al hombre, la Biblia le manda esforzarse y tratar a su amada como un "vaso frágil". Exactamente dice así en 1 Pedro 3:7: *"De igual manera, ustedes esposos, sean comprensivos en su vida conyugal, tratando cada uno a su esposa con respeto, ya que como mujer es más delicada, y ambos son herederos del grato don de la vida. Así nada estorbará las oraciones de ustedes"*.

Una mujer abusada se siente despreciada y usada. Al respetar a su esposa el esposo se respeta a sí mismo. Una esposa que se siente amada y respetada se mostrará amorosa y respetuosa con su esposo.

3. Perdón mutuo

> **El perdón es una decisión hecha en obediencia al Padre, imitando al Hijo y en el poder del Espíritu Santo.**

El perdón provee el necesario oxígeno que la relación precisa para vivir saludablemente. Las incomprensiones, los malos entendidos, las medias verdades, los puntos que creemos obvios y cosas semejantes, tienen el poder de intoxicar la relación. Todo el ambiente del hogar se carga con esa nube tóxica que nos va envenenando cada día. A mayor exposición, mayor daño. El perdón tiene la habilidad de despejar los aires y permitir que el sol de la comprensión mutua brille sobre la pareja.

Un ejemplo típico de contaminación ambiental en el hogar, son los semicírculos de la comunicación. La pareja se disgustó por algún motivo, que en la mayoría de los casos son asuntos pequeños y fácilmente tratable; pero en lugar de enfrentarlo y resolverlo, pretendemos olvidarlo y tratamos de actuar como si no hubiese ocurrido nada. Esos son semicírculos, porque no nos tomamos el tiempo ni la molestia para cerrarlos. Cada uno de esos casos se va almacenando en la mente y en el corazón de la pareja o en uno de ellos, formando esa nube tóxica que nos envenena.

Al visitar un hogar así y puede sentir que el ambiente está pesado. Que aunque parece normal, las acciones cotidianas, sencillas y rutinarias del hogar parecieran tareas imposibles de ser realizadas. La comunicación se reduce al mínimo, las sonrisas desaparecen, las miradas que acarician son sustituidas por las que hieren. Otra vez, a mayor exposición, mayor contaminación. Sencillamente, ventílese. Sí, abra la ventana del perdón y permita que este refresque todo el ambiente de su hogar. Cierre el círculo enfrentando en amor a su cónyuge y consigan o hagan las paces.

Mi expresión preferida para decirles a los matrimonios es "que no se ponga el sol sobre vuestro enojo". Recuerdo una ocasión, estando colaborando en las Sociedades Bíblicas Dominicanas, que se me pidió que escribiera algo en una tarjeta que dedicamos a una pareja de empleados recién casados. Les escribí: *"Que no se ponga el sol sobre vuestro enojo"*. Eso lo tengo grabado porque yo fallé en explicarles que ese era mi deseo en cuanto a su relación.

Un tiempo después la pareja, un poco avergonzada, acudió a mí para que les explicara si yo estaba molesto con ellos y si les estaba amonestando por medio del verso bíblico que les escribí. Tiernamente les expliqué que no, que de ninguna manera. Que ellos eran personas muy fáciles de tratar, muy amistosos y prudentes. Les pude decir que aquel era el deseo de mi corazón en cuanto a su diario vivir. La Biblia lo dice así: *"Si se enojan, no pequen. No dejen que el sol se ponga estando aún enojados, ni den cabida al diablo."* [16] *La versión Dios Habla Hoy, lo dice así: "Si se enojan, no pequen; que el enojo no les dure todo el día. No le den oportunidad al diablo".*

A la luz de estos versos podemos entender que: 1) El enojo no es pecado en sí mismo. 2) Podemos estar más cerca de pecar cuando estamos enojados. O que si estamos enojados, debemos reforzar nuestros cuidados para no pecar. 3) Que las deudas en la relación deben ser pagadas o arregladas diariamente. 4) Si permanecemos enojados más de ese tiempo, les estaremos dando

---

[16] Efesios 4:26-27.

oportunidades a Satanás para atacarnos. Recordemos entonces que el perdón no se gana ni se merece. Si alguien merece perdón, ya no es tal cosa. El perdón se le da al culpable. Y justo por eso, porque es culpable, optamos por perdonarlo. El perdón es una decisión que se hace en obediencia al Padre, en imitación al Hijo y en el poder del Espíritu Santo. Queremos resaltar que es una decisión. Es decir, sé que debo perdonar, por lo tanto otorgo el perdón.

Así que no se deje gobernar por los sentimientos, sino por la Palabra de Dios. Al otorgar el perdón, los sentimientos seguirán su voluntad, la cual es perdonar. Si sigue sus sentimientos y se acostumbra a hacerlo así, el perdón tardará en llegar.

Los principios bíblicos (La pareja y la Biblia)
El tercer elemento en la muralla protectora de la pareja viene de la atención que ellos les den a la Palabra de Dios. A lo largo de la historia bíblica, vemos a Dios llamando hombres e instruyéndoles a mantener cerca de ellos su Palabra. Mientras más cerca estuvieran ellos de los mandatos divinos, mejor sería su camino. Eso sigue siendo una verdad mayúscula para cada creyente. Si esos creyentes decidieran casarse aun más preponderante será para sus vidas el oír las sabias y santas palabras de Dios.

En el salmo 19:7-14, se nos enseña:

> La ley del Señor es perfecta: infunde nuevo aliento. El mandato del Señor es digno de confianza: da sabiduría al sencillo. Los preceptos del Señor son rectos: traen alegría al corazón. El mandamiento del Señor es claro: da luz a los ojos. El temor del Señor es puro: permanece para siempre. Las sentencias del Señor son verdaderas:

> todas ellas son justas. Son más deseables que el oro, más que mucho oro refinado; son más dulces que la miel, la miel que destila del panal. Por ellas queda advertido tu siervo; quien las obedece recibe una gran recompensa. ¿Quién está consciente de sus propios errores? ¡Perdóname aquellos de los que no estoy consciente! Libra, además, a tu siervo de pecar a sabiendas; no permitas que tales pecados me dominen y de multiplicar mis pecados. Sean, pues, aceptables ante ti mis palabras y mis pensamientos, oh Señor, roca mía y redentor mío.

¿Quién podría intentar adquirir sabiduría para la vida y a la vez desechar estas palabras? ¿Por qué ignoramos el consejo divino y buscamos consejería humana? Pocas veces, en la consejería de parejas se les cuestiona si están tratando de obedecer las instrucciones bíblicas. ¿No es esta una de las primeras preguntas que debiera hacer un consejero bíblico? ¿Qué tan lejos puede ir una pareja sin prestar atención a la Palabra de Dios? Sabemos muy bien que no importa lo que les digamos, no irán muy lejos.

Si una pareja tiene problemas de comunicación, o con el perdón, ¿le explicamos lo que Biblia dice sobre esos temas? ¿Si no le hacen caso a Dios, podrán resolver su problema? ¿Nos harán caso a nosotros?

Estimado lector, es obligatorio obedecer a Dios y a su Palabra si soñamos con tener un hogar conforme a la voluntad divina. Me gusta pedirles a mis aconsejados que lean y pongan en práctica el consejo bíblico con las aplicaciones prácticas que encontramos en Efesios 4:22-32. Si los problemas continúan, insisto en preguntar si están poniendo en práctica lo leído. Las respuestas son siempre las mismas: no lo están haciendo. Desde mi punto de vista cuando una pareja se divorcia o sencillamente no viven a plenitud su matrimonio, es porque ambos o uno de ellos no ha querido practicar los consejos bíblicos para el buen vivir. Que de hecho, no son consejos sino mandatos divinos.

Si no están dispuestos a hacer esto, sencillamente no sigo la consejería porque están perdiendo su tiempo y me lo están haciendo perder a mí. Si deseamos realmente proteger nuestro matrimonio, es imprescindible obedecer, practicar y atender el consejo divino.

Al poner juntos estos tres elementos básicos: los pactos de la pareja, los mandamientos de mutualidad y los principios bíblicos, la pareja levanta una impenetrable muralla que protegerá su relación haciéndola capaz de soportar los grandes y continuos ataques de sus enemigos. Con esta muralla usted podrá soportar y conseguir la victoria, sin importar lo largo del asedio. Pero recuerde, no salga de la seguridad de su muralla y mucho menos introduzca en ella un caballo troyano.

El engaño de los griegos

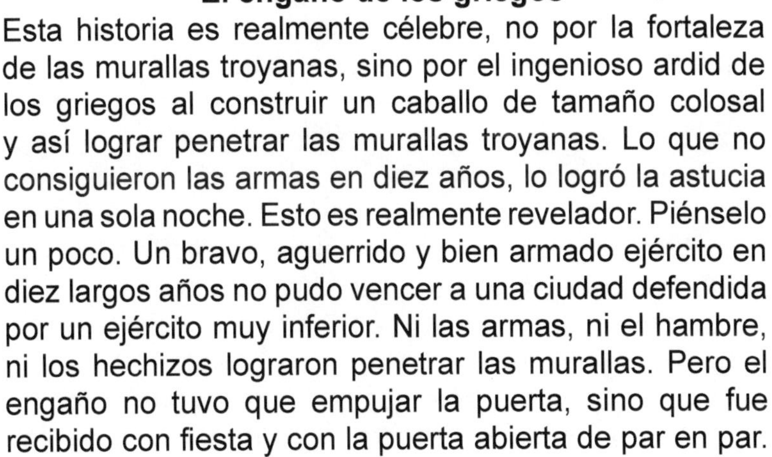

Esta historia es realmente célebre, no por la fortaleza de las murallas troyanas, sino por el ingenioso ardid de los griegos al construir un caballo de tamaño colosal y así lograr penetrar las murallas troyanas. Lo que no consiguieron las armas en diez años, lo logró la astucia en una sola noche. Esto es realmente revelador. Piénselo un poco. Un bravo, aguerrido y bien armado ejército en diez largos años no pudo vencer a una ciudad defendida por un ejército muy inferior. Ni las armas, ni el hambre, ni los hechizos lograron penetrar las murallas. Pero el engaño no tuvo que empujar la puerta, sino que fue recibido con fiesta y con la puerta abierta de par en par.

Eso me hace pensar en el poder que tiene el engaño y lo efectivo y dañino que puede llegar a ser. El caballo troyano es realmente griego.
Hoy, en el mundo cibernético, se conoce como "troyano" a los virus de computadora que vienen disfrazados de anuncios u ofertas, pero que en verdad son virus dañinos. En lo personal, me parece impropio ese uso del término "troyano" porque ellos recibieron el engaño y no lo provocaron; pero es difícil tratar de cambiar esto y si continúo usando el término de manera diferente puede confundir. Así que usaré "troyano" con el mismo sentido que posiblemente usted conozca, como un engaño. Dicho esto, le llamaremos troyano a toda persona, relación, evento o decisión que tiene la apariencia de bueno y saludable para la relación o la familia, pero cuya finalidad es justo dañar a la pareja.

Según la declaración anterior, hay "amigas" o "amigos" troyanos. Son aquellas personas que se acercan a uno de los integrantes de la pareja o inclusive a ambos y ofrecen su "ayuda" —en una situación particular— o su "sincera" amistad, pero cuyo acercamiento está realmente motivado por su interés sentimental en usted o su cónyuge; o su móvil es perjudicar en alguna otra forma a la pareja o a la familia. Debemos analizar cuidadosamente esas personas para, sin entrar en pánico ni obsesión, estar alertas contra tales ataques.

Como ya dijimos, un ataque frontal y declarado tiende a unirnos, pero la peligrosidad de los troyanos es que se muestran amistosos y bien intencionados. Se ganan la confianza de uno o ambos en la relación y con frecuencia causan división en cuanto a la opinión que se tiene de ellos. Si alguien sospecha o se da cuenta del posible ataque, es muy probable que vea que su pareja ignora el asunto y defiende al troyano, lo que puede causar

distracción entre los centinelas de su fortaleza, lo que con frecuencia —ese solo aspecto del ataque— causa gran daño a la relación.
¿Cómo protegerse de un troyano? He aquí algunas ideas al respecto. Primero recuerde que son troyanos. Es decir, no es fácil descubrir a un troyano. Su fortaleza radica en que viene encubierto. Así que preste atención a sus instintos, a sus corazonadas. No las ignore; tampoco las dé por un hecho. Pero si llegan, hágales caso. Si la sospecha no es suya, preste atención a quien le puede estar advirtiendo del peligro que está viendo venir. Las damas que no son celosas pueden ayudar mucho a sus esposos en esto, porque ellas tienen un "ojo clínico" para esas cosas. Yo he aprendido a seguir las corazonadas de mi esposa. Ella siempre acierta. Es un vigía maravilloso que Dios me ha dado.

Recuerde que los troyanos no pelean limpio. No nos enfrentan ni presentan batallas. Si lo hacen, nos unen. Se disfrazan para entrar a nuestro campamento y poder hacer daño, porque saben que desde afuera no podrían. Así que lo mejor que podemos hacer es fortalecernos íntimamente. De modo que si uno de ellos logra penetrar, el daño será mínimo. Si una pareja se ama y se respeta, si son sinceros unos a otros; si hablan con la verdad y no guardan secretos, aunque el troyano entre, no tendrá muchas posibilidades de dañar porque trabaja con la mentira y en la oscuridad. Mientras más diáfana sea la relación, menos podrán dañarla los troyanos.
Los troyanos son discípulos de Satán, que es un maestro del engaño. Que no nos sorprenda que haya quienes se presten para tal cosa. La Biblia dice: *"Y no es maravilla, porque el mismo Satanás se disfraza como ángel de luz".*[17]

[17] 2 Corintios 11:14.

Preguntas para discusión: 

1. ¿Qué le da seguridad a su matrimonio? ¿Qué le da cohesión y firmeza?

2. ¿Qué son los pactos, acuerdos y promesas? ¿Por qué son importantes?

3. ¿En qué consisten los mandamientos de mutualidad? Diga por qué son importantes para su relación con su cónyuge.

4. ¿Qué rol juegan los principios bíblicos y las Escrituras, en general, en su relación matrimonial?

5. ¿Sabe identificar a los "troyanos" que intentan derribar las murallas de su matrimonio?

Capítulo 3

Quemar las naves

Rechace el divorcio

"Por eso el hombre deja a su padre y a su madre para unirse a su esposa, y los dos llegan a ser como una sola persona".

Génesis 2:24, DHH

Quemar las naves

Rechace el divorcio

Alejandro III de Macedonia, mejor conocido como Alejandro Magno, fue rey desde los veinte años hasta el día de su muerte, a los treinta y tres. Conquistó el Imperio Persa así como Anatolia, Fenicia, Gaza, Siria, Egipto, Mesopotamia, Judea y muchas regiones más.

En el año 335 a.C., al llegar a la costa de Fenicia, Alejandro Magno debió enfrentar una de sus más grandes batallas. Al desembarcar comprendió que los soldados enemigos superaban en cantidad, tres veces más, a su gran ejército. Sus hombres estaban atemorizados y no encontraban motivación para enfrentar la lucha. Habían perdido la fe y se daban por derrotados. El temor había acabado con aquellos guerreros invencibles.

Cuando Alejandro Magno hubo desembarcado a todos sus hombres en la costa enemiga, ordenó que fueran quemadas todas sus naves. Mientras los barcos se consumían en llamas y se hundían en el mar, reunió a sus hombres y les dijo: "Observen cómo se queman los barcos, esa es la única razón por la que debemos vencer, ya que si no ganamos, no podemos volver a nuestros hogares y ninguno de nosotros podrá reunirse con su familia nuevamente, ni podrá abandonar esta tierra que hoy despreciamos. Debemos salir victoriosos en esta batalla, ya que sólo hay un camino de vuelta y es por el mar. Caballeros, cuando regresemos a casa lo haremos de la única forma posible, ¡en los barcos de nuestros enemigos!" El ejército de Alejando Magno venció en aquella batalla, regresando a su tierra a bordo de los barcos conquistados al enemigo. [18]

Se cuentan hazañas parecidas realizadas a través de la historia por distintas personas en diversas batallas, por ejemplo Agatocles, déspota tirano de Siracusa (361-289 a.C.); Juliano el Emperador, en su expedición contra Sapor; Julio César, en una de sus campañas cuando después de cruzar el río Rubicón mandó destruir el puente pronunciando la famosa frase "Alea jacta est" [La suerte está echada] o Guillermo el Conquistador, al abordar Inglaterra en 1066.[19]

Pero la más cercana y conocida en la historia fue la realizada por Hernán Cortés en su conquista de lo que hoy es México. Corría el año 1519 cuando Cortés salió de Cuba para su expedición a México con alrededor de 500 hombres. Al ver a sus hombres titubeantes e indecisos y al conocer que algunos planificaban tomar un barco y regresar con el gobernador Diego Velázquez, Cortés decide quemar las naves, calcinando también con ellas toda esperanza de escape o retorno a Cuba. Al hacerlo, Cortés les dejaba a sus hombres una sola alternativa, vencer o morir en el intento. Expresa así su determinación de salir victorioso a como diera lugar, sin punto de retorno.[20]

Toda pareja debe abandonar voluntariamente su libertad individual para disfrutarse el uno al otro

[18] www.ultraguia.com.ar. Quemar las naves. www.ultraguia.com.ar//UltraSociales/ParaPensar/ParaPensar09.html) (Abril 20, 2013).
[19] El bufón digital. Quemar las naves ¿Quién fue el primero? Alejando Magno vs. Hernán Cortés. (http://elbufondigital.blogspot.com/2008/01/quemar-las-navesquien-fu-el-primero.html. (Abril 20, 2013).
[20] Wikipedia. Quemar las naves. http://es.wikipedia.org/wiki/Quemar_las_naves. (Abril 21, 2013).

La audaz resolución de Cortés le dio a la expedición un tono distinto. Ya no era una jornada exploratoria ni una avanzada tentativa sujeta a las posibilidades de triunfo. Para ese momento sólo podían avanzar y conquistar o quedar aplastados por los fieros y valerosos indígenas que defendían su territorio con las armas que poseían. Parece que en verdad las naves no fueron quemadas sino barrenadas para que se hundieran, lo cual para el caso es igual. Cualquiera que haya sido el método, la frase de "quemar las naves" ha quedado para la posteridad. Esta expresión significa vencer o morir. ¡No hay vuelta atrás! Atañe a un compromiso total con la victoria, dejando atrás para siempre todo lo que nos pueda distraer o restar fuerzas con la causa en la cual estamos involucrados. En este caso, "quemar las naves" es abrazar el matrimonio hasta sus últimas consecuencias. Es decirle no al divorcio.

Porque si en alguna empresa hay que quemar las naves, es en el matrimonio. El matrimonio es una relación excluyente, es sólo para dos. Una fruta para dos. Un paraguas para dos, para nadie más. Toda pareja debe abandonar voluntariamente su libertad individual para disfrutarse el uno al otro, como lo expresa la Biblia, llegando a ser una sola carne.

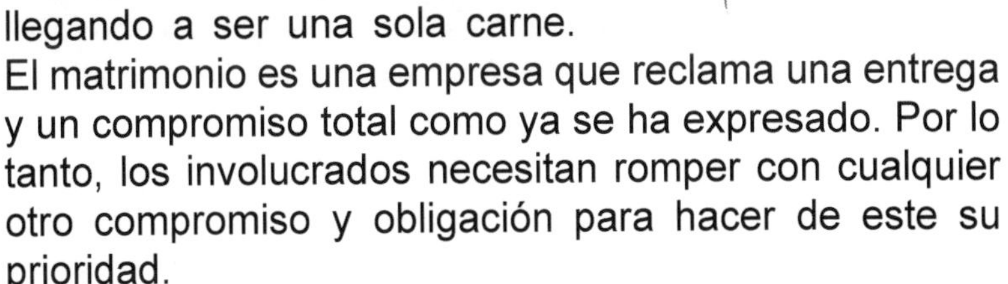

El matrimonio es una empresa que reclama una entrega y un compromiso total como ya se ha expresado. Por lo tanto, los involucrados necesitan romper con cualquier otro compromiso y obligación para hacer de este su prioridad.

Quemar las naves es decidir que la relación matrimonial no tiene marcha atrás. Por lo tanto, hay un compromiso de por vida para luchar juntos contra todo obstáculo para mantener la relación viva, fresca y productiva para ambos. La pareja que ha quemado sus naves —porque ambos deben hacerlo—, es la pareja que le ha dicho NO al divorcio. La que toma por práctica diaria no mencionar la palabra "divorcio" en su conversación sobre su relación, ni siquiera en juego, ya que no es una posibilidad.

Al tomar esa actitud se sobreentiende que hay que enfrentar juntos los desafíos porque no hay retroceso. Pero, ¿de qué estamos hablando? ¿Cuáles serían las posibles "naves" que hay que quemar? ¿Cómo podemos quemarlas? Veamos algunas de ellas. Usted seguramente puede añadir otras.

La nave de la familia

Es Dios mismo quien nos dice que el matrimonio es la relación de mayor prioridad. Es prioritaria ante los padres y ante los hijos. En Génesis 2:24 leemos: *"Por eso el hombre deja a su padre y a su madre para unirse a su esposa, y los dos llegan a ser como una sola persona".*

Fijémonos que el verso establece el rompimiento de una estructura natural y primaria, por lo tanto, sumamente fuerte. Se trata de la relación padres e hijos. En primer lugar, es una relación natural. En esa relación los hijos no tienen ningún poder de decisión. Pertenecen, por derecho de nacimiento, a ese núcleo familiar. En un proceso natural los hijos crecen al cuidado y bajo la dependencia de sus padres. De estos reciben amor, protección y formación. Sin previa aceptación —por parte de nosotros los hijos—cuando nos percatamos, ya tenemos padres o protectores. Esta es la primera relación que entablamos.

Los padres son las primeras personas de las que el niño recibe afecto y con quienes se identifica emocionalmente. Somos parte de una comunidad llamada familia. Otra vez, es un proceso natural que tiende a ser muy fuerte. ¿Podría existir otra relación de mayor relevancia que esta? La respuesta es sí: el nacimiento de otro hogar. El verso dice: *"Por eso el hombre deja a su padre y a su madre para unirse a su esposa, y los dos llegan a ser como una sola persona"*.

Esa primera relación fuerte y profunda tiene que dar paso a otra relación distinta, que aunque no anula ni sustituye a la anterior viene a ser prioritaria a la ya existente. La pareja, el matrimonio, es la relación de mayor *prioridad* en la vida. La relación de pareja tiene *prioridad* ante la relación con los padres. No la sustituye, ni disminuye el amor y el respeto por ellos. No vamos al matrimonio buscando otro papá u otra mamá. Esta relación juega un papel *primordial* porque es con la persona con la cual seremos "una sola carne". En esta nueva relación hay de por medio una *decisión*. No es una relación "natural", es más bien creada en base a una *decisión*. No elegimos a nuestros padres ni a nuestros hermanos, pero sí acostumbramos *elegir* a la persona que será nuestro cónyuge.

Es más común de lo que quisiéramos aceptar, que muchos padres invitan a su hija(o) a regresar a la nave que fue su hogar cuando se enteran que hay algún fuerte conflicto entre los esposos. *"Hijita, no te preocupes, no tienes por qué aguantar a ese sinvergüenza, aquí tienes tu casa, aquí no te va a faltar nada, divórciate, entre más rápido salgas de él mejor".* Pareciera que el matrimonio fuese algo desechable. Este es un típico consejo que muchos hijos casados reciben de sus padres.
Como consejero matrimonial recomiendo en algunos

casos una separación temporal durante la cual se continúe trabajando con la relación; o una salida rápida cuando la vida de uno de los cónyuges está en peligro, es decir, por violencia intrafamiliar, popularmente conocida como violencia domestica. Pero usualmente este no es el caso cuando la invitación e insistencia viene de parte de los padres, los que a veces no se resignan a aceptar que sus hijos crecieron y ya tienen su propio hogar. No entienden que no los han perdido, ni que nunca dejarán de ser sus hijos. No importa qué tan lejos se muden. Esa relación de papa e hijo(a), mama e hija(o) nunca se rompe.

Es probable que surjan los conflictos más grandes entre ellos o entre los hermanos, pero nunca dejarán de ser hermanos y nunca dejarán de ser padres e hijos. Por eso, como dijo alguien, nunca oirás decir: "Ahí va mi exmamá o mi exhermano", porque es una relación que no se rompe, es una unión de sangre. No así en el caso del cónyuge. Es muy usual escuchar: "Allá va mi exesposo(a), mi exsuegra, mi excuñado". De ahí la importancia de la prioridad que mencionamos anteriormente. La relación de la pareja, del matrimonio, es una que hay que cuidar, cultivar, luchar por mantenerla, porque esta si se rompe.

Dejar esta nave debe hacerse con toda dignidad y respeto, dando siempre a los padres su lugar de honor. Quemar esta nave significaría cortar el cordón umbilical que puede estarnos uniendo a los padres más allá de lo que debiéramos. Toda intervención de los padres que dañe o afecte el buen funcionamiento del nuevo hogar es una nave que hay que quemar.

La nave de los hijos

El nivel de prioridad que requiere la relación de pareja habla en voz alta de su importancia en la vida de las personas involucradas en cada hogar. Con frecuencia se puede escuchar a mujeres casadas decir: "Yo estoy donde estén mis hijos". La demanda de la relación matrimonial debe llevarlas a decir: "Yo estoy donde esté mi esposo". Obviamente, en demasiados casos, la razón para dar esa declaración es la experiencia de una relación conyugal deficiente, descuidada y en ocasiones abusiva.

Cuando se da el abuso estamos frente a una deformación de la relación. Se toma el rol de "padre" cuando debió ser de "amante entregado". Se confunden así las relaciones y se toma el peor ejemplo de padre que existe, en este caso el rol de "padre abusador". Pero como la relación de la pareja está por encima de la relación de los padres, así mismo debe estar la relación con los hijos. Algunos padres, refiriéndose a sus hijos, dicen: "Ellos son los que llevan mi sangre". Pero es bueno recordar que es sangre de los dos y que sólo con nuestro cónyuge llegamos a ser "una sola carne".

La pareja fue primero, luego llegaron los hijos. Estos se irán y la pareja debe permanecer para también juntos verlos partir y saber que nuevamente están como empezaron, solos, el uno para el otro. Los hijos llegan al matrimonio pero no están hechos para quedarse con el matrimonio. Lo queramos o no, ellos se irán. La pareja está hecha para permanecer unida. Ese es el plan divino y esa es la belleza de la relación llamada matrimonio.

Algunos padres permiten que uno de sus hijos duerma con ellos. Recuerde que los muchachos harán cualquier cosa por dormir con sus padres. Si eso se permite, debe ser por muy poco tiempo. La pareja nunca debe dejar de dormir juntos, ya que no caben los tres en la cama. El que sobra es el hijo. No deje que su hijo se acostumbre a dormir en su cama. Si está allí, sáquelo cuanto antes. La cama matrimonial es para la pareja. ¡Queme esa nave!

Cuando la pareja no es feliz la tendencia natural es a refugiarse en la o las personas que le dan cariño, en este caso los hijos. Este es un fenómeno que se da con mucha frecuencia en nuestra cultura. La mayoría de las veces ni siquiera se ha expresado verbalmente pero uno de los dos —por lo general la mamá— se apega emocionalmente a los hijos, poniendo su cariño, cuidado y amor por encima del que debe dispensar al esposo.

Hay que mantener el orden de prioridad en las relaciones hogareñas sin dejar de amar a los hijos. Entre más se amen, se comprendan y se respeten los padres, con mayor estabilidad crecen los hijos. Esto no tiene que ver con la condición o nivel económico de la familia. Los valores de vida —y para la vida— que forman el carácter se reciben en el hogar. Parte de esos principios es ejemplificar ante los hijos la importancia del cónyuge en la relación matrimonial. Cuando ellos se casen y formen su propio hogar, tendrán un digno ejemplo que imitar.

Alguien dijo una vez que "los hogares son fábricas donde se construyen los humanos y que hay humanos que salen a medio construir". ¿Qué clase de humanos está usted formando en la fábrica de su hogar? Cada pareja responsable se ha de preocupar por equipar a sus hijos lo mejor posible para enfrentarse a una sociedad descompuesta y hostil.

Los hijos son una bendición en el hogar, pero no deben nunca convertirse en una distracción que amenace la sana relación de la pareja. El hogar no debe nunca girar en torno a los hijos. Debe girar en torno a la pareja. Los hijos no son el centro del hogar, la pareja lo es. Cuando no es así, los hijos salen perjudicados. Los hijos no pueden ser naves de refugio para ninguno de los padres. Otra vez, los hijos son prestados y sólo podremos disfrutarlos por unos años. Es ley de vida, ellos se irán porque no es plan divino que se queden.

Recibí un email con una reflexión anónima llamada: "Los hijos como navíos". Partes del mismo dicen así:

> Al mirar un navío en el puerto, imaginamos que está en su lugar más seguro, protegido por una fuerte ancla. Sin embargo, sabemos que está allí preparándose, abasteciéndose y alistándose para ser lanzado al mar, cumpliendo con el destino para el cual fue creado, yendo al encuentro de sus propias aventuras y riesgos.
>
> ...Así son los hijos. Tienen a sus padres, o sea, el puerto seguro, hasta que se tornan independientes. Por más seguridad, protección y manutención que puedan sentir junto a sus padres, los hijos nacieron para surcar los mares de la vida, correr sus propios riesgos y vivir sus propias aventuras... El lugar más seguro para el navío es el puerto. Pero no fue construido para permanecer allí.

La nave de las amistades

Otra nave que hay que quemar es la compuesta por las amistades. Lo que intento decir con esto es que toda amistad de la vida de soltero debe ahora transferirse a la lista de amistades de la pareja. Si alguna de esas personas no puede ser parte de las amistades de la pareja por cualquier razón, entonces debe ser quemada, cortada. Eso no significa que uno no pueda tener amigos, pero siempre y cuando su relación no compita con el matrimonio. En ocasiones, uno de los dos cónyuges quiere seguir su relación con sus amigos tal y como si estuviese soltero o soltera. Sin involucrar a su par y tomando tiempo de la pareja para pasarlo en compañía de esos amigos o amigas. La persona casada tiene que quemar esas naves.

Recuerdo el caso de Tony (nombre ficticio) que, a pesar de estar casado ya por seis años, mantenía una relación muy estrecha con sus viejos amigos. Se reunían a tomar y a hablar temas de hombres, por lo que era una reunión prohibida para mujeres. Las tensiones del trabajo y las dificultades del hogar le arrastraban más y más hacia el grupo en el que trataba de aliviar sus penas. Los consejos que recibió de sus amigos le llevaron a imitar su ejemplo buscando lo que ellos llamaban un "desahogo". Tony cayó en los brazos de la infidelidad rompiendo sus promesas y poniendo en peligro su hogar. La sola idea de la infidelidad era algo que Tony rechazaba y se mostraba hostil con los amigos que lo hacían. Sin embargo, la presión de un grupo que no compartía sus intereses familiares le llevó a ello.

Puedo también recordar el caso de una joven pareja con dos hijos. Ella consiguió un nuevo trabajo y con él nuevas amistades. Eran un grupo de damas, todas divorciadas y con un estilo de vida muy liberal. Los valores del grupo distaban mucho de los que ella y su esposo habían mantenido en sus ocho años de matrimonio. Ella comenzó a salir con sus amigas, a reclamar su espacio y el derecho a divertirse sin la presencia de su marido. Que la esposa salga con amigas no es dañino en sí mismos, pero cuando empiezan a competir con los valores del matrimonio son como un cáncer.

El esposo acudió a verme porque sentía que estaba perdiendo a su esposa y su matrimonio. Aquella joven inexperta comenzó a abandonar a su esposo por una vida de soltera como nunca la había tenido. Su círculo de amistades le demandaba más y más tiempo. Cada vez traía nuevas ideas a la casa y nuevas formas de experimentar la libertad que entendía se merecía. Amanecía tomando con sus amigas, visitando clubes de solteros y, según ella, disfrutando su vida. Aquello no duró mucho. No porque él no lo soportara, sino porque ella le pidió el divorcio. Necesitaba más libertad.

Es necesario aclarar que no todo grupo de hombres o de mujeres se comporta de ese modo, pero es importante que los amigos de uno sean amigos de los dos. Si los valores del grupo son contrarios a los que desea que distingan su hogar, es mejor quemar esas naves y construir nuevas amistades en las que ambos sean bienvenidos. Si llegan nuevas amistades a la vida de uno de los cónyuges, debe incorporarlos a la vida de la pareja y si no cabe, o no quiere, entonces hay que decirle adiós. La vida está llena de pequeñas decisiones. Cada una de ellas exigen sacrificar algo. No sacrifique su matrimonio. Es, por cierto, su mejor y mayor inversión. Queme esas naves.

La nave de las relaciones anteriores

Decir que las relaciones anteriores de la pareja deben dejarse atrás parece algo muy obvio, sin embargo no lo es en la práctica. El casarse debe ser siempre voluntario. El matrimonio debe ser una libre y entusiasmada decisión que como siempre conlleva el abandono total y absoluto de cualquier otra relación. Nos damos por completo para recibir a la otra persona por completo. Las relaciones del pasado deben quedar exactamente allí, en el pasado. No debe haber comparaciones ni permitirse recuerdos que vengan a dañar la salud del matrimonio.

No son pocos los casos en los que matrimonios aparentemente sólidos se han venido abajo por la aparición de una persona con la que uno de los cónyuges tuvo un romance o algún tipo de relación en el pasado. No se debe dar ni la más mínima concesión, hacerlo es abrir una puerta que puede resultar muy difícil de cerrar. Esas naves hay que quemarlas. Al hacerlo, desaparece toda posibilidad de volver al pasado y con ello las consecuencias destructivas que sin ninguna duda acarrearía. Una cita anónima dice que es "un gran error arruinar el presente, recordando un pasado que ya no tiene futuro".

A modo de conclusión

Los ejemplos mencionados y comparados con naves que en algunas circunstancias pueden afectar profundamente al matrimonio, deben igualmente ser quemados a tiempo. Tan pronto los cónyuges advierten que relaciones con sus familias, con los hijos, cpn los amigos o las relaciones del pasado están pisando terreno que pertenece únicamente a la pareja, deben actuar. Y debe actuar primero el cónyuge más relacionado. Es decir, si es mi familia o son mis amigos, a mí me toca encender el fuego.

No queremos decir de ninguna manera que los padres, los hijos, los amigos, etc., sean necesariamente responsables de un divorcio, pero sí que pueden influir poderosamente bajo ciertas circunstancias. La familia y los amigos son y deben ser siempre una bendición que ayuden al matrimonio en su estabilidad y en su desarrollo saludable. Sin embargo, cuando ellos obstaculizan la relación de la pareja se convierten en naves para quemar. Obviamente existen otras muchas "naves" que también afectan a la pareja abocándolas al divorcio, pero aquí nos hemos limitado a éstas.

Cuando Naíme y yo nos casamos, Dios nos dio la sabiduría para —desde el comienzo—, tomar decisiones que marcarían nuestra vida matrimonial para siempre. Una de esas decisiones fue que nunca usaríamos la palabra divorcio ni a manera de broma. Con esa acción estábamos declarando: *Nos casamos para toda la vida, hasta que la muerte nos separe.* Nosotros sabíamos que esa era una decisión importante, pero no entendimos realmente cuánto lo era hasta que empezamos a ayudar a otras parejas con crisis matrimoniales.

A través de nuestros años como consejeros y oradores matrimoniales, hemos tenido la oportunidad de ayudar a muchas parejas que estaban a la puerta del divorcio. Lo veían como la única salida de escape a sus incomprensiones. Y tal como el ejército de Hernán Cortés, ante cualquier amenaza, corrían a refugiarse a sus naves; como si eso les ponía a salvo, en vez de enfrentar al enemigo con valor y decisión. En la actualidad muchas parejas van al matrimonio predispuestas al divorcio. Es muy usual oírles decir: "Nos casamos pero, si no funciona, nos divorciamos". Es como si casarse fuese algo tan irrelevante como comprarse un vestido y devolverlo si no le ajusta.

Es como que llevan una carta debajo de la manga para sacarla si fuera necesario. Y esa actitud trabaja en contra de ellos mismos o de la unión porque les resta valentía y coraje para jugarse el todo por el todo quemando las naves y luchando por su matrimonio. Esa misma actitud se convierte en la "nave" que abordan para huir de su realidad a un futuro incierto. Abandonan sus sueños, sus planes y todo el proyecto de realizar una vida juntos. Sí, sí, entendemos que en algunos casos el divorcio es el mal menor. Pero siempre debe ser visto como un mal que viene a contrastar con el plan divino de que el matrimonio funcione y sea para toda la vida.

Quemar las naves debe ser un acto que involucre a los dos. *Quemar las naves* demanda decisión, valentía, resolución y entrega total con el matrimonio. Se renuncia a una relación en defensa de otra. Sí, es un renunciamiento y a la vez un compromiso. Conjuga y une estas dos acciones. Una que repele y la otra que atrae. Una que rechaza y la otra que une. En la mayoría de los casos en que se llega al divorcio es porque ya no hay disposición a "quemar las naves".

En ocasiones los cónyuges, finalmente, se rinden al divorcio - aunque todavía alberguen alguna esperanza- porque los vence el orgullo, porque están muy lastimados, porque creen que de nada servirá o que es ya demasiado tarde.

Si se libran grandes batallas y se *queman naves* en aras de ganar una batalla o conquistar unas tierras u obtener una corona, cuanto más por mantener la relación más especial y extraordinaria que los seres humanos podemos decidir tener, a saber, el matrimonio. Sólo refiriéndose a esta relación tan especial fue que Jesús dijo: *"Así que no son ya más dos, sino una sola carne; por tanto, lo que Dios juntó, no lo separe el hombre".*[21] Así que sin reservas, luche por su matrimonio y *queme esas naves*; todo el poder de Dios está a su disposición para que lo logre.

21 Mateo 19:6, RVR60.

Preguntas para discusión:

1. ¿Qué significa la expresión: "Quemar las naves", en referencia a su matrimonio?

2. ¿Qué naves identifica en su matrimonio que debe quemar antes que destruyan su relación?

3. ¿Cuál es la nave que le cuesta más quemar? Explique.

4. Tome un momento para hablar con su cónyuge, identifiquen conjuntamente cada una de las naves que están afectando su relación matrimonial. Luego decidan celebrar una *quema de naves* para despejar el camino que transitan juntos en su matrimonio.

Capítulo 4

El talón de Aquiles

Debilidades vs. Fortalezas

"Una cadena es tan fuerte como su eslabón más débil".
Thomas Reid

El talón de Aquiles
Debilidades vs. Fortalezas

Aquiles fue el más importante de los héroes griegos de la guerra de Troya. Joven, rápido, apasionado y esencialmente belicoso. Salía bien librado de cada batalla. Se distinguió como un luchador infatigable. Nada le hería, parecía inmortal. Esta leyenda tiene su origen en el poema incompleto Aquileida, escrito por Estacio en el siglo I. Contiene una versión del mito del nacimiento de Aquiles que no aparece en otras fuentes. Esta dice que cuando Aquiles nació, Tetis su madre, intentó hacerle inmortal sumergiéndolo en el río Estigia. Sin embargo, su madre lo sostuvo por el talón derecho para sumergirlo en la corriente, por lo que ese preciso punto de su cuerpo quedó vulnerable, siendo la única zona en la que Aquiles podía ser herido en batalla. Así que Aquiles era invulnerable en todo su cuerpo salvo en el talón.[22]

Se decía que Troya no podía ser conquistada sin la ayuda de Aquiles. De hecho, cuando él no luchaba, los troyanos prevalecían. Aquiles mató a Héctor, héroe troyano. Luchó en muchas guerras y mató a la guerrera amazona Pentesilea. Finalmente, Paris, hirió a Aquiles con una flecha en su único punto vulnerable, el talón. Aquiles murió por la herida. A partir de aquel momento, la expresión "el talón de Aquiles" quedó para designar el punto vulnerable que todo ser humano tiene.[23]

Aunque es sólo una leyenda, lo que es ciertísimo es que todos tenemos un punto débil que nos hace más

[22] Wikipedia. Talón de Aquiles. http://es.wikipedia.org/wiki/Talón_de_Aquiles.(Julio 12, 2013).
[23] Poesía.bligoo.com. Aquiles. http://poesia.bligoo.com/content/view123488/Aquiles.html.(Junio 4, 2013).

vulnerables. Una costumbre impropia, la indisciplina, un mal ejemplo o la tendencia a ciertos deslices pueden evidenciar puntos grises en el carácter de una persona. Bajo ciertas circunstancias particulares, tales cosas, nos inducen a pensamientos, actitudes o acciones reprochables. Hablamos desde la pereza hasta el engaño. Ese problema constituirá el eslabón más frágil en la cadena de nuestro carácter.

Nuestro sistema educativo, con sobrada frecuencia, adolece de una formación del carácter. Nos enfocamos más en el conocimiento, en las destrezas, en la experiencia adquirida que en fortalecer el carácter del individuo. En cualquier área del saber humano, las escuelas, colegios, institutos, seminarios, universidades, iglesias o cualquier otro centro de educación tendemos a centrarnos más en la mente que en el corazón de los discípulos. A veces es tanta la competencia, las demandas de los programas, las exigencias del mercado y la prisa en obtener resultados que se nos olvida que se trabaja con vidas, con personas que tienen relaciones y que interactuaran con otros pares en un mundo complejo que exige más que simple conocimiento intelectual, más que información, exige fortaleza de carácter. Dice un refrán árabe: *"Dinero perdido, poco perdido. Salud perdida algo perdido. Carácter perdido, todo perdido".*

John Maxwell, hablando sobre la ética, mencionaba los fracasos de gerentes de grandes emporios que llevaron a sus empresas y a miles de asociados a la quiebra. Maxwell decía que no son más que tristes y bochornosos ejemplos de problemas de carácter.[24] Lo mismo ocurre en el mundo eclesiástico cuando vemos líderes religiosos venirse abajo de un momento a otro.

---

24 John Maxwell (Ética la única regla para tomar decisiones. (Miami: Editorial Peniel)

Si se escudriña un poco, se verá que el nombre de la falta puede variar pero la fuente será siempre la misma, una seria falla en el carácter (pecados ocultos). Como lo dijera el sabio: "Puedes llegar a la cima por tus talentos, pero sólo tu carácter te ayudará a sostenerte en ella".

Talón de Aquiles personal

No podemos negar nuestro entorno como tampoco nuestra historia ni nuestros orígenes. Somos el fruto de nuestras experiencias vividas. Todas y cada una de ellas han ido dejando una pequeña huella en nosotros. Han sido como golpes de martillo y cincel sobre la dura roca que han ido forjando y moldeando la persona que hoy somos. Tal como dijera Ortega y Gasset: *"Yo soy yo y mis circunstancias".* [25]

Todos tenemos una amalgama, un abanico de virtudes y fortalezas que a viva voz proclamamos y sin censura exhibimos. Pero de igual modo tenemos nuestros defectos y debilidades, los que normalmente escondemos y quizás sólo en secreto aceptamos. Lo más probable es que hablemos o hasta demos charlas sobre algunas áreas en las cuales somos fuertes, pero callamos aquellas donde somos débiles. Pero hay una persona en nuestra vida que sí se dará cuenta de ambas, de las fortalezas como de las debilidades. Es nuestro cónyuge, de quien no se pueden esconder y que además las sufre.

Necesitamos identificar y aun clasificar nuestras debilidades. Existen por lo menos tres propósitos al tratar de identificarlas.

---

25 José Ortega y Gasset, Meditaciones del Quijote. (Madrid: Publicaciones de la Residencia de Estudiante, 1914), p. 43

1. Reconocer que las tenemos. Es de gran ayuda aceptar que tenemos defectos y debilidades. Lo primero que ello hace a nuestro favor es humanizarnos. Reconocemos que somos parte de una raza caída que, aunque creada a imagen de su perfecto Hacedor, ha pecado; por lo que todos estamos bajo la categoría de pecadores. La Biblia dice: "*¡No hay ni uno solo que sea justo! No hay quien tenga entendimiento; no hay quien busque a Dios. Todos se desviaron, a una se hicieron inútiles; No hay quien haga lo bueno, no hay ni siquiera uno… todos han pecado y están lejos de la presencia gloriosa de Dios".*[26] Admitir que todos tenemos nuestro "talón de Aquiles" nos permite también ser más sensibles frente a los errores ajenos.

2. Presentárselas a Dios pidiendo perdón y ayuda. No se quiere dar la impresión de que las debilidades temperamentales son sinónimos de pecado, pero sí que son fruto del pecado humano. La admisión de nuestra vulnerabilidad y pecaminosidad debe necesariamente llevarnos delante de Dios procurando su perdón y solicitando su indispensable ayuda. Dios nuestro amante Padre ha prometido perdonarnos a través de su Hijo Jesús dándonos las fuerzas y las herramientas para vencer. Además de esto, con la presencia del Espíritu Santo, podemos cambiar nuestras actitudes. La Biblia afirma: *Por lo tanto, si alguno está en Cristo, es una nueva creación. ¡Lo viejo ha pasado, ha llegado ya lo nuevo!*[27] Y esto nos lleva al tercer propósito.

3. Trabajar con ellas. Poco valdría reconocer las formular un plan encaminado a fortalecerlas. No se

26 Romanos 3:10-12, 23, DHH.
27 1 Corintios 5:17, NVI.

persigue una admisión de debilidad para escudarnos tras ella razonando que errar es de humanos. La idea es que podamos identificar aquellas áreas débiles de nuestro temperamento y nuestro carácter y trabajar para ser una mejor persona. Abandonar las malas prácticas y sustituirlas por otras sanas. Supongamos que alguien admite que se enoja y se aíra con facilidad. Esa persona puede hacer un plan para lidiar mejor con su enojo. Por ejemplo iniciar pidiendo ayuda divina. Confesar o admitir que se está enojando cuando ocurre. Hacer una lista de las cosas que le hacen enojar. Entender que el enojo es sólo una respuesta que escoge o ha aprendido a dar en ciertas circunstancias y que puede optar por responder de manera diferente. Se puede aprender otras posibles respuestas. Puede aun hacer una lista de esas respuestas y anticipar su actitud cuando se presente la ocasión. Esto es completamente posible y más aun si cuenta con la ayuda del santo Consolador. ¿Cuáles serían sus puntos débiles? Fíjese que dije los suyos, no los de su pareja. Atrévase a hacer una lista de ellos y tome hoy mismo el control de las áreas grises de su personalidad.

Talón de Aquiles matrimonial

Traemos al matrimonio todo lo que somos como persona. El acto matrimonial en sí mismo no tiene el poder, de hecho, tampoco el propósito, de cambiarnos. Salvo algunas raras excepciones, al día siguiente de la boda seguiremos teniendo los mismos valores, criterios, ideas y costumbres que siempre tuvimos. Toda nuestra historia viene con nosotros. Los valores del hogar; las lecciones de la vida; los aportes que nos han dejado los estudios, así como las influencias que hemos recibido. Todo ese bagaje de experiencias vividas se acostará en la cama matrimonial fortaleciendo con unas y debilitando con otras esa relación. Cada uno en la pareja traerá su morral lleno de virtudes y defectos; fortalezas y debilidades; riquezas y carencias; buenas costumbres y malas costumbres; aciertos y desaciertos.

Es de gran ayuda reconocer y aceptar que tenemos defectos y debilidades. Una de las tareas que perseguimos en la consejería prematrimonial es que la pareja conozca, acepte y trabaje tanto con sus debilidades como con sus fortalezas. Como equipo, la pareja debe conocer los recursos que cada uno puede aportar a la relación y cómo sacarles el mayor provecho. Así mismo conocer las debilidades de cada uno ayudará a entender el comportamiento del otro y a asumir actitudes diferentes.

Recuerdo una señora que en una sesión de consejería familiar con la ayuda del material informativo que le suministré, magistralmente describió a su esposo como alguien: práctico, autosuficiente, decidido, extrovertido, autoestimulado, que no le asustan las adversidades. Alguien que reconoce las oportunidades y que, con rapidez y claridad mental, puede hacer decisiones rápidas, trazarse una meta y lograrla con facilidad. Una persona organizada, intuitiva y con grandes dotes de líder. Pero ella no entendía cómo, a la misma vez, su esposo era: hostil, cruel, sarcástico, insensible y terco. Además de iracundo, frío y porfiador.
El marido no quiso quedarse atrás y usando la misma herramienta describió a su esposa como una persona: perfeccionista, controlada, talentosa, profundamente analítica, con una mente privilegiada, creativa, de sentimientos profundos, abnegada, una fiel amiga que llega hasta el sacrificio de ser necesario. Pero a la misma vez encontraba un cúmulo de debilidades, tales como: negativa, pesimista, vengativa, quisquillosa, depresiva y

temperamental. Y es que así mismo somos, llenos de virtudes extraordinarias pero salpicadas de debilidades y defectos.

Es interesante que Dios suele complementarnos dándonos personas diferentes a nosotros, es decir que son fuertes en las áreas en las que somos débiles. Yo puedo admitir que soy lento para tomar decisiones, pero mi esposa es rápida haciéndolo. Lo más probable es que la persona con quien usted decidió casarse es diferente a usted. Es que las diferencias nos atraen. El pesimista tiende a casarse con una persona optimista, el reservado con uno que le encanta hablar y el persistente con alguien sosegado. Por eso es sumamente valioso conocer y manejar tanto las fortalezas como las debilidades para hacer que trabajen a favor del matrimonio.

¿Cuáles son las fortalezas y las debilidades de su matrimonio? Las fortalezas del matrimonio serían los puntos fuertes individuales de cada cónyuge, más el resultado de la suma de poner juntas esas facultades. Las debilidades del matrimonio, por el contrario, son el resultado de restar las debilidades individuales de las fortalezas individuales. Porque, como se ha dicho, las debilidades de uno tienden a ser suplidas por las fortalezas del otro. Así que si somos sabios siguiendo el modelo divino, podremos disfrutar de la verdad de que el matrimonio tiende a bendecir a la pareja restando sus debilidades y sumando sus fortalezas.

El matrimonio bendice la pareja restando sus debilidades y sumando sus fortalezas

Cuando no seguimos el plan de Dios y dejamos que reine nuestro egoísmo tendemos a tomar actitudes dañinas para el matrimonio: 1) Nos volvemos expertos en identificar y señalar las debilidades de nuestro cónyuge. 2) Nos hacemos ciegos ante las fortalezas y virtudes que posee. 3) Simultáneamente nos hacemos más indulgentes y flexibles frente a nuestras propias debilidades buscándoles todo tipo de justificación. 4) Llegan hasta a molestarnos las habilidades que antes admirábamos en la persona que amamos; las mismas que nos enamoraron y que tanto reconocíamos. 5) Consciente o inconscientemente intentamos que esa persona especial que nos conquistó se parezca cada día más a nosotros mismos.

El resultado final de ese proceso es que comenzamos a ver a nuestro cónyuge como nuestro enemigo. Nuestra media naranja comienza ese proceso químico en el cual se convierte en nuestro medio *limón*. Pero recuerde, si mi cónyuge es mi medio *limón*, yo soy la otra parte del *limón*. En vez de gozar y aprovechar la diversidad y la riqueza que juntos logramos, nos amargamos y asumimos actitudes críticas. El Señor Jesús, demostrando su conocimiento de la naturaleza humana, les dijo a algunos a quienes les gustaba juzgar y criticar:

> *¿Por qué te pones a mirar la astilla que tiene tu hermano en el ojo, y no te fijas en el tronco que tú tienes en el tuyo? Y si tú tienes un tronco en tu propio ojo, ¿cómo puedes decirle a tu hermano: Déjame sacarte la astilla que tienes en el ojo? ¡Hipócrita!, saca primero el tronco de tu propio ojo, y así podrás ver bien para sacar la astilla que tiene tu hermano en el suyo.*[28]

Pero recordemos que el plan divino es complementarnos con una persona diferente a nosotros y que podamos unir fuerzas y restar debilidades. Verdaderamente que

[28] Mateo 7:3-5, DHH.

es una bendición que el matrimonio sólo sea entre dos. Sería sumamente valioso conocer y manejar las fortalezas como las debilidades de su matrimonio. Tal vez usted diga: "Entiendo la importancia de conocer nuestras fortalezas, pero ¿para qué molestarnos en conocer nuestras debilidades? Si alguien tiene diabetes, ¿debería saberlo? ¡Por supuesto! El no saberlo no detiene ni retrasa la enfermedad. Por el contrario, el paciente corre más riesgo porque no toma las precauciones y cuidados que debe observar el enfermo de diabetes. Exactamente igual sería con el matrimonio.

A continuación encontrará un cuadro que presenta cuatro tipos de personalidad que se identifican como: expresivo, ambicioso, sereno y pensativo. Provee una lista de las debilidades y fortalezas que caracterizan a cada una. Le invito a que trate de identificarse de acuerdo a sus características.

Expresivo:__________		Ambicioso:__________	
___Vivaz ___Jugueton ___Entusiasta ___Dispuesto a complacer a otros ___Participativo ___Hace amigos rapidamente ___Tiene carísma ___Espontaneo ___Hablador ___Perdonador	___Olvidadizo ___Distraido ___Desordenado ___Impulsivo ___No es detallista ___Mal oyente ___Sigue a la mayoría ___Travieso ___Relaciones superficiales ___arriesgado	___Traza metas ___Aguerrido ___Emprendedor ___Con iniciativa ___Confidente ___Determinado ___Trabajador ___Administrador efectivo ___Decidido ___Visionario	___Insensible ___Tensionado ___Manipulativo ___Mandón ___Opinador ___Impaciente ___Intolerante de los errores de otros ___Le cuesta decir "lo siento" ___Criticón
Sereno:__________		**Pensativo:__________**	
___Disfruta la paz ___Calmado ___Establece la paz ___Diligente ___Buen oyente ___Precavido ___Placentero ___Guarda postura ___Temperamento estable ___Sosegado	___Le cuesta ver sus faltas ___Deja todo para última hora ___Lento para tomar decisiones difíciles ___Evade conflictos ___Comprometedor ___Indiferente hacia otros ___Demasiado tranquilo ___Evita responsabilidades difíciles ___Apático	___Sensible ___Compasivo ___Devoto a sus pocos amigos ___Organizado ___Trabaja sin ser notado ___Persistente ___Creativo ___Analítico ___Sacrificado ___Aprecia la belleza	___Habla mal de si mismo ___Tiende a no valorarse ___Perfeccionista ___Pesimista ___Demasiado detallista ___Facilmente herido ___Medita mucho en errores del pasado ___Juzgador ___Fácil para preocuparse ___Fácil para sentirse culpable

[29]

[29] Temperamentos. http://www.slideshare.net/bjovencentral/temperamentos-4676006?nomobile=true (Enero 12, 2014).

Cuando cada miembro de la pareja hace este ejercicio, se dan cuenta de que no son tan malos, ni tan buenos. Pero lo más importante es que los dos poseen tanto lo uno como lo otro. Aunque la idea no es escudarnos tras las debilidades razonando que "errar es de humanos", sino trabajar con el resultado.

Obviamente las debilidades propias de un temperamento no tienen que ser una marca indeleble en una persona. Hay múltiples factores que pueden afectar a la persona y ayudarle a desarrollar actitudes distintas y mejorar o abandonar las debilidades propias de su temperamento.

Existe un fenómeno espiritual llamado "conversión". Ocurre cuando una persona recibe luz suficiente para entender su estado espiritual, logrando ver su condición pecaminosa y aceptando a Jesús como su Salvador y Señor. Jesús, a través de la acción del Espíritu Santo —que viene a morar en nuestro espíritu—, nos transforma de dentro hacia fuera. La Biblia declara que el fruto, o el resultado, de la presencia del Espíritu Santo en una persona es: *"amor, gozo (alegría), paz, paciencia, benignidad (amabilidad), bondad, fe (fidelidad), mansedumbre (humildad), templanza (dominio propio)".*[30]

Tomemos como ejemplo los puntos negativos señalados por la pareja en el caso narrado anteriormente. Ella encontraba que él era: hostil, cruel, sarcástico, insensible y terco. Además de iracundo, frío y porfiador. Él, por su parte, dijo que ella era: negativa, pesimista, vengativa, quisquillosa, depresiva y temperamental. Veamos cómo el fruto del Espíritu Santo en una vida nos puede ayudar a cambiar esas debilidades.

---

[30] Gálatas 6:22-23, DHH.

Debilidades de El	**Fruto del Espíritu Santo**	Debilidades de Ella
Cruel	**Amor**	
Frio ⟵⟶	**Gozo (alegría)**	⟵⟶
Hostil	**Paz**	Negativa
Iracundo	**Paciencia**	quisquillosa
Insensible	**benignidad (amabilidad)**	depresiva
Sarcástico	**bondad**	
	Fe (fidelidad)	pesimista
Terco	**mansedumbre (humildad)**	
Porfiador	**templanza (dominio propio)**	temperamental

La presencia del Espíritu Santo nos ayuda en cada debilidad. El consejero cristiano, Dr. Henry Brant, dijo una vez: *"Podemos recurrir a nuestro trasfondo como una excusa por nuestro comportamiento solamente hasta el momento de recibir a Jesucristo como nuestro Señor y Salvador personal. Después de eso, contamos con un nuevo poder interior que nos capacita para cambiar nuestra conducta".*[31]

¡Todos tenemos un talón de Aquiles! Pero que, como el héroe de esta leyenda, sólo sea el talón y vamos a trabajar con ese detalle. Que nuestro carácter sea como roca y que nuestra relación sea una cadena fuerte e inquebrantable. Levantemos hogares sanos y robustos. Que nuestro mayor aval sea nuestro carácter. Nuestros hijos lo esperan. Nuestra sociedad lo necesita. Nuestro Dios lo demanda.

[31] Construyendo un mundo mejor. Temperamentos. http://nelmazuera.blogspot, com/2010_09_27 _archi ve.html (Enero 12, 2014)

Preguntas para discusión: 

1. ¿En qué radica la importancia del carácter en cuanto al matrimonio?

2. ¿Cuáles son los eslabones más frágiles en la cadena de su carácter y por qué?

3. ¿Por qué es importante identificar nuestras debilidades? ¿Qué podemos hacer con ellas en pro de nuestra relación matrimonial?

4. ¿Qué consecuencias negativas tenemos cuando el egoísmo reina en nuestra relación matrimonial?

5. ¿Cuál es su talón de Aquiles? ¿Trata usted de zambullirse en su Estigia (río) para pasar indemne (intacto) por su vida matrimonial sin darse cuenta de que su talón le queda intacto?

Capítulo 5

Ojo por ojo, diente por diente

Un principio a desechar

"Ustedes han oído que se dijo: 'Ojo por ojo y diente por diente.' Pero yo les digo: No resistan al que les haga mal. Si alguien te da una bofetada en la mejilla derecha, vuélvele también la otra".

Mateo 5:38-42, NVI

Ojo por ojo, diente por diente
Un principio a desechar

"Ustedes han oído que se dijo: 'Ojo por ojo y diente por diente.' Pero yo les digo: No resistan al que les haga mal. Si alguien te da una bofetada en la mejilla derecha, vuélvele también la otra".
Mateo 5:38-42, NVI

Estas declaraciones de Jesús son parte de sus enseñanzas en lo que se conoce como el Sermón del Monte. Jesús cita la ley más antigua del mundo: *"ojo por ojo y diente por diente"*. Se conoce como la ley del Talión.

El término ley del talión (latín: *lex talionis*) se refiere a un principio jurídico de justicia retributiva en el que la norma imponía un castigo que se identificaba con el crimen cometido. El término "talión" deriva de la palabra latina "talis" o "tale", que significa idéntica o semejante, de modo que no se refiere a una pena equivalente sino a una pena idéntica.[32] La retribución sería ni mayor ni menor a la recibida. Es decir, que si el agresor hería a su víctima causándole la pérdida del brazo izquierdo, no se le podía quitar la vida por esa ofensa; tampoco sacarle un ojo. La pena para el agresor sería la pérdida del brazo izquierdo. La expresión más conocida de la ley del talión es "ojo por ojo, diente por diente", tal y como aparece en el Antiguo Testamento.

Esa ley llegó a ser parte integral de la ética de vida y justicia del Antiguo Testamento. Cuando Dios habló a Moisés y al pueblo dándoles las leyes con las cuales

---

[32] William Barclay, Comentario al Nuevo Testamento, Mateo (CLIE: Barcelona, 1995), I:86.

debían regirse, también les mencionó esta.
En Éxodo 21:23-25 dice: *"Mas si hubiere muerte, entonces pagarás vida por vida, ojo por ojo, diente por diente, mano por mano, pie por pie, quemadura por quemadura, herida por herida, golpe por golpe".* En Levítico 24:19-20 nos da parte de las palabras dichas por Dios a Moisés para que fuesen leyes sobre Israel. *"El que causare lesión en su prójimo, según lo hizo, así le sea hecho: Rotura por rotura, ojo por ojo, diente por diente; según la lesión que haya hecho a otro, tal se hará a él".* Y en Deuteronomio 19:21 hablando del castigo para el testigo falso dice: "*No lo compadecerás: vida por vida, ojo por ojo, diente por diente, mano por mano, pie por pie".*

El comentarista William Barclay nos aclara que la *Lex Talionis* no era, como se cree, una legislación salvaje y sanguinaria, sino que era un código lleno de misericordia porque su finalidad era limitar la venganza personal. Porque era usual que cuando algún miembro de una tribu le causaba daño a otro miembro de otra tribu, los miembros de la tribu del perjudicado, buscando venganza, se levantaban y arrasaban con todos los integrantes de la tribu del que causó el daño. Pero frente a esa ley, sólo se castigaría a la persona que inicialmente produjo el daño, siempre y cuando el perjuicio infringido haya sido intencional. Ojo por ojo, diente por diente, pie por pie. Vista así, se ve que la ley buscaba eliminar el abuso y la matanza de gente inocente.[33]

Basado en Deuteronomio 19:18 se puede decir que esta no fue nunca una ley que le diera a la persona individual el derecho a vengarse por sí misma; siempre una ley que establecía cómo tenía que estipular el castigo un juez de

---

[33] Barclay, p. 86.

un tribunal legal. La ley del talión no era administrada antojadizamente por individuo alguno, sino que se aplicaba por el veredicto de los jueces.

Esta ley es la base para las populares y millonarias demandas de hoy día. Esto porque rara vez se aplicó la ley tal y como estaba escrita, debido a que los juristas judíos razonaban, acertadamente, que el cumplirla literalmente podría ser de hecho lo contrario a la justicia, porque obviamente podría suponer el pago de un buen ojo o buen diente con un mal ojo o un mal diente. Y se llegó muy pronto a compensar con dinero el daño causado.

Es bueno aclarar que la ética de vida y justicia del Antiguo Testamento era mucho más amplia que esta ley y nunca se limitó a ella. Barclay dice:

> Hay que recordar que la *Lex Talionis* no es ni mucho menos toda la ética del Antiguo Testamento. El Antiguo Testamento repetidas veces prohíbe la venganza personal: *"No te vengarás, ni guardarás rencor a los hijos de tu pueblo, sino amarás a tu prójimo como a ti mismo. Yo Jehová"* (Levítico 19:18). *"No digas: Yo me vengaré; espera a Jehová, y él te salvará"* (Proverbios 20:22). *"No digas: como me hizo, así le haré; daré el pago al hombre según su obra"* (Proverbios 24:29).[34]

Sin embargo, los fariseos apelaban a esa ley para justificar la retribución y la venganza personal. Citaban ese mandamiento con el fin de destruir su propósito mismo. Decían que Dios mismo les daba derecho a vengarse. Así que usaban una ley dada para la no

[34] Ibid.

venganza, para poderse vengar.
En una parte del Sermón de la montaña Jesús dijo a sus oyentes: "Ustedes han oído que fue dicho: ojo por ojo y diente por diente. Pero yo os digo".[35] Al hacerlo, Jesús está reinterpretando la ley para enseñarle al pueblo la verdadera e inicial intención de la misma. Jesús desautoriza la interpretación farisaica de ese antiguo principio e introduce no sólo el principio de la no venganza sino también el del amor fraternal. La idea de ofrecer la otra mejilla es no ceder a la provocación. Es vencer el deseo de devolver el insulto, de salvar el honor, de devolver la ofensa. La no venganza es también el rechazo al enojo y al resentimiento.

La ley del Talión y su matrimonio

Si la pareja quisiera aplicar esta ley a su matrimonio terminarían ciegos y sin dientes. Aunque esta ley fue abolida por Jesús en el Nuevo Testamento o reemplazada por la ley del amor, todavía hoy vemos ese comportamiento en el andar diario de la gente y peor aun en la vida de esposos, de hogares que componen nuestras comunidades de fe.

Toda pareja que aspire a tener paz en su hogar y mantenerlo por mucho tiempo, es decir, hasta que la muerte los separe, tendrá que erradicar de su vida conyugal toda acción motivada por la venganza y el espíritu de retribución. De manera intencional y firme tenemos que resistir la tendencia "natural" a que el otro pague por lo que nos hizo. El cónyuge ofendido tiende a "pagar con la misma moneda".

En la mayoría de los casos la respuesta es instintiva, no pensada. La respuesta dada es una acción igual

[35] Mateo 5:38-39, RVR60.

o mayor a la recibida. Los esposos tienden a decir: "Si no me habla, no le hablo; si me grita, le grito". La comunicación se romperá y probablemente ninguno sepa cómo empezó el asunto. Porque asumimos que el comportamiento inicial es contra nosotros y no nos damos el tiempo para averiguar el motivo de la actitud del otro, tal y como lo hubiéramos hecho con un amigo. He aquí una amplia definición de venganza:

> La venganza consiste primordialmente en el desquite contra una persona o grupo en respuesta a una mala acción recibida. Aunque muchos aspectos de la venganza se asemejan al concepto de justicia, la venganza en general persigue un objetivo más injurioso que reparador. El deseo de venganza consiste en forzar a quien haya hecho algo malo a sufrir el mismo dolor que él infligió, o asegurarse de que esa persona o grupo no volverá a cometer dichos daños otra vez. La venganza es un acto que, en la mayoría de los casos, causa placer a quien la efectúa, debido al sentimiento de rencor que ocasiona el antecedente.[36]

No hay duda de que las incomprensiones y tensiones en el trato diario de la pareja son más comunes de lo que quisiéramos admitir. Las discusiones y desacuerdos tienden a darse cita en la vida conyugal y hay que hacer los ajustes necesarios. Pero la meta principal no es que no haya conflictos, sino enfrentarlos con sabiduría. Los conflictos tienen el potencial de fortalecer la pareja cuando son manejados constructivamente. Con frecuencia habrá algo que perdonar. Hay que decidir si dejamos ir el enojo y perdonamos o si guardamos el resentimiento y dejamos que se convierta en rencor

---

[36] Wikipedia. Venganza. http://es.wikipedia.org/wiki/Venganza. (Enero 15, 2013).

engendrando la venganza. Hay que perdonar. Es imprescindible perdonar en amor. La Biblia enseña: *"El odio provoca peleas, pero el amor perdona todas las faltas".*[37] También dice: "Sobre todo, ámense los unos a los otros profundamente, porque el amor cubre multitud de pecados".[38]

Vale aclarar aquí que cuando hablamos de conflictos comunes en la relación de pareja, de ninguna manera la lista incluye situaciones como el maltrato o abuso en ninguna de sus formas (violencia intrafamiliar); tampoco la infidelidad conyugal o la irresponsabilidad de tomar el rol que nos corresponde. No debemos aceptar estas situaciones u otras parecidas como "cosas comunes" del matrimonio. Aunque el mandato de la no venganza cubre todas las situaciones, es necesario buscar ayuda de inmediato y tratar de resolverlas.

El adulterio es otra fuente que provoca la venganza. En el cónyuge "inocente" tiende a planificar y pensar mejor su venganza. Aunque hay una plena conciencia de lo que implica todo el proceso, la rabia y el dolor no le permiten ver una salida más inteligente, sólo piensa en "que sienta lo mismo que yo siento". Otros piensan también en dañar físicamente a su cónyuge.

La venganza trae gravísimas consecuencias. Hoy hay muchas personas tras las rejas y otras tantas en los cementerios porque algunos dejaron madurar primero en la mente y después en el corazón una venganza que finalmente tuvo resultados fatales. Es exactamente contra esta actitud que el apóstol Pablo llama la atención en el pasaje de Romanos 12:7-21:

---

[37] Proverbios 10:12, DHH.
[38] 1 Pedro 4:8, NIV.

> No paguen a nadie mal por mal. Procuren hacer lo bueno delante de todos. Si es posible, y en cuanto dependa de ustedes, vivan en paz con todos. No tomen venganza, hermanos míos, sino dejen el castigo en las manos de Dios, porque está escrito: "Mía es la venganza; yo pagaré", dice el Señor. Antes bien, "Si tu enemigo tiene hambre, dale de comer; si tiene sed, dale de beber. Actuando así, harás que se avergüence de su conducta". No te dejes vencer por el mal; al contrario, vence el mal con el bien.

Pablo inicia diciendo que no debemos pagar a nadie mal por mal. Que no nos dejemos mover por el deseo de venganza. Que no procuremos cobrarle, en este caso a nuestro cónyuge, por alguna falta cometida contra nosotros. Dice: *no pagues, no te excites, no te muevas, no devuelvas con la misma moneda.* Y esto nos lleva a la última parte de la lectura: *"No te dejes vencer por el mal; al contrario, vence el mal con el bien"*. No debemos dejar que el mal recibido se apodere de nosotros. No debemos dejar que el deseo malo de venganza domine nuestros sentidos, todo lo contrario. Venceremos ese deseo insano y haremos un bien aunque hayamos recibido un mal. En medio de estas expresiones hay dirección en cuanto a cómo debemos dirigirnos y comportarnos aun con un enemigo. Pero en nuestro caso no es con un enemigo con quien tratamos, es con aquella persona a quien amamos y con quien somos uno. Dañarlo es herirnos nosotros mismos. Si todo esto es verdad aun respecto a un enemigo, cuanto más para nuestro cónyuge. Tal vez sea un buen momento para recordar que nuestro cónyuge no es nuestro enemigo. Digámosle no a la venganza. Tal y como lo expresa este poema de José Martí:

Cultivo una rosa blanca
en junio como en enero
para el amigo sincero
que me da su mano franca.

Y para el cruel que me arranca
el corazón con que vivo
cardos ni ortigas cultivo
cultivo una rosa blanca.[39]

El cuadro triste y pavoroso que vemos en la sociedad es resultado directo de la situación en la que están y han estado los hogares. Frente a la ausencia de amor, respeto y comprensión ha abundado el abuso, la infidelidad y el divorcio. Se podría definir como el reinado del pecado. Jesús hablando de nuestra condición sin Dios dijo: "*Porque de adentro, del corazón humano, salen los malos pensamientos, la inmoralidad sexual, los robos, los homicidios, los adulterios, la avaricia, la maldad, el engaño, el libertinaje, la envidia, la calumnia, la arrogancia y la necedad. Todos estos males vienen de adentro y contaminan a la persona*".[40]

El pecado no sólo nos aleja de Dios y nos condena para siempre, también nos hace llevar vidas miserables. Pero Jesús ha venido a darnos vida y dárnosla en abundancia. Necesitamos ir a él rogándole que perdone nuestros pecados, dándonos el regalo de la vida eterna y los recursos para vivir una vida abundante. La sociedad requiere de hombres y mujeres que vivan genuinamente la Palabra de Dios. Hogares construidos sobre los valores y enseñanzas bíblicas.

---

[39] Poemas del alma. Cultivo una rosa blanca. http://www.poemas-del-alma.com/jose-marti-cultivo-una-rosa-blanca.htm (Enero 12, 2013).

[40] Marcos 7:21-23, NVI.

Un pensamiento anónimo dice: "Quien perdona pudiendo vengarse, poco le falta para salvarse". Esto me hace pensar en la historia bíblica de José perdonando a sus hermanos. El relato inicia en el capítulo 37 de Génesis. Siendo José un joven de unos diecisiete años, diez de sus hermanos deciden venderlo como esclavo. Esa acción estuvo motivada por el celo que ellos sentían, ya que José era el favorito de su padre. A este último se le dijo que su hijo había sido devorado por una fiera. Trece largos años duró la odisea del muchacho.

Primero como esclavo en casa de un alto militar egipcio. Allí, aunque hizo todo bien, fue acusado injustamente y metido en la cárcel donde fue olvidado. Luego Dios le saca de la cárcel y lo eleva hasta ser el segundo en el reino. Y es desde esa posición, segundo al mando de la potencia de la época, que va a encontrarse con sus hermanos, quienes se arrodillan ante él sin ni siquiera reconocerlo. José tiene ahora el poder y la autoridad de matarlos si lo deseara. Usted ¿qué hubiera hecho? Estas fueron las palabras de José: "Pero ahora, por favor, no se aflijan más ni se reprochen el haberme vendido, pues en realidad fue Dios quien me mandó delante de ustedes para salvar vidas. No tengan miedo, les contestó José. ¿Puedo acaso tomar el lugar de Dios? Es verdad que ustedes pensaron hacerme mal, pero Dios transformó ese mal en bien para lograr lo que hoy estamos viendo: salvar la vida de mucha gente".[41]

¡Increíble la actitud de José! Mostró que sabía quién era él y quién era su Dios. Creo que Dios usará para bendecirnos aun la maldad de los que quieren dañarnos. Al igual que José, fijémonos en el plan general de Dios, no en alguno de sus

---

[41] Génesis 45:5; 50:19-20, NVI.

instrumentos. Jamás levantemos nuestras manos para la venganza. Tenemos un Dios que lo hace por nosotros.

Dios puede usar, para bendecirnos, aun la maldad de los que quieren dañarnos.

Concluimos citando algunos dichos sobre la venganza. Necesariamente no estamos de acuerdo al cien por ciento con cada palabra, pero igual nos sirven para reflexionar.

1. "No es posible tomar venganza de una villanía sino cometiendo otra". Borel d'Hauterive

2. "Un acto de justicia permite cerrar un capítulo; un acto de venganza escribe un capítulo nuevo". Marilyn vos Savant

3. El verdadero modo de vengarse de un enemigo es no parecérsele. Marco Aurelio

4. "Vengándose, uno se iguala a su enemigo; perdonándolo, se muestra superior a él". Sir Francis Bacon

5. "Una persona que quiere venganza guarda sus heridas abiertas." Sir Francis Bacon

6. "La venganza es un placer que dura sólo un día; la generosidad es un sentimiento que te puede hacer feliz eternamente. Rosa Luxemburg

7. "No puede herirnos la injuria sino cuando la recordamos; por ello la mayor venganza es el olvido". Harold Hard Crane

8. "Nunca nos sentiremos bien por haber practicado el mal. Nunca el rencor y la venganza proporcionan

contento". Luis de Argote y Góngora.

9. "La venganza sólo es dulce para aquellos a los que el rencor les ha tergiversado el gusto". Jaime Tenorio Valenzuela.

10. "La venganza más cruel es el desprecio de toda venganza posible". Johann Wolfgan Goethe.

11. "Cuando se tiene sed de venganza se tiene hambre de más". Anónimo.

12. "La venganza es el manjar más sabroso condimentado en el infierno". Walter Scott. [42]

Preguntas para discusión:

1. ¿Qué principio o mandamiento superpone el Señor Jesucristo a la ley del talión? Explique su opinión al respecto.

2. En su matrimonio, ¿se consideran algunas situaciones —como el maltrato, el abuso intrafamiliar; la infidelidad conyugal o la irresponsabilidad en general— como "cosas comunes"? ¿Por qué?

[42] Sabiduría.com. Venganza. http://www.sabidurias.com/result_tag.php?palabra=venganza&lang=es&tag = 1840&_pagi_pg=2

3. ¿Qué es la venganza y cuáles sus perjuicios respecto al matrimonio?

4. ¿Qué haría si siente deseos de vengarse de su cónyuge por algo que haya hecho contra usted?

Capítulo 6

Cantos de Sirena

No a la infidelidad

"Pues la mujer ajena habla con dulzura
y su voz es más suave que el aceite;"
Proverbios 5:3

Cantos de Sirena

No a la infidelidad

Es Homero, en su libro, la Odisea, quien da la primera referencia conocida sobre esos personajes mitológicos llamados sirenas, aunque distintas a la concepción que tiene nuestra cultura acerca de esa mitología. Esas primeras menciones las describen como monstruosas aves con pecho y cara de mujer que devoran a sus presas atrayéndolas con su terrible, hechizante e irresistible canto. Hoy son concebidas como hermosas mujeres jóvenes con cuerpo de pez. Un autor nos hace notar que esa es la razón que en algunos idiomas se hace la distinción entre la sirena original o clásica (inglés Siren, alemán Sirene) de la sirena con cola de pez (inglés Mermaid, alemán Meerjungfrau). [43]

La expresión canto de sirena procede de la leyenda contada por Homero sobre el héroe Ulises, que regresando de la guerra de Troya sabe que se verá obligado a pasar con su embarcación por la isla de las sirenas. Estas eran ya conocidas y temidas porque con su canto melodioso e irresistible hacían que los marineros se arrojaran a la mar tras ellas y terminaban estrellando sus embarcaciones contra los arrecifes. Los sobrevivientes eran cruelmente asesinados.

Ulises, el astuto héroe griego, consciente del peligro que le asecha, pero ansioso de escuchar por sí mismo aquellos tan famosos y temidos cantos, recurre a una estratagema que le permitirá oír y

---

[43] Wikipedia. Sirenas. http://es.wikipedia.org/wiki/Sirena. (Septiembre 4, 2013).

no obstante salvar la nave y a sus compañeros. Ordena a sus hombres que se tapen sus oídos con cera con el propósito de hacerlos sordos a los terribles cantos. Luego pide que lo aten fuertemente al mástil o palo mayor del barco. Así podrá saciar su curiosidad escuchando el canto de las sirenas, sin ceder a su encantamiento.

Este canto se revela melodioso y desgarrador, y está colmado de bellas promesas. Ulises les grita a sus compañeros que lo desaten, pero por supuesto estos permanecen sordos a sus gritos. Finalmente, el barco pasa y los héroes escapan al funesto destino de tantos otros marinos.

Sin embargo, Ulises no es el único en enfrentarlas. El poeta mítico Orfeo, que acompaña a Jasón en su búsqueda del vellocino de oro, logra también resistir su fatal encanto. En el instante en que Jasón y sus hombres, los argonautas, atraídos por las melodiosas voces, cambian de rumbo y se dirigen peligrosamente hacia los arrecifes de la isla, Orfeo toma su lira y entona un canto tan sublime que cubre sus melodías y salva a los marinos de su mortal contemplación.[44]

La sirena representa, entre otras cosas, esa atracción hacia la perdición, no en vano es una criatura que se vale del engaño para atraer a los navegantes a la costa y después devorarlos. En lenguaje coloquial, el dicho "oír cantos de sirena", es sinónimo de embaucamiento. Por eso se dice "a veces oye canto de sirena y te sale loba del mar".[45]

[44] Conciencia animal. Cantos de sirena. (www.concienciaanimal.cl/paginas/temas/imprimirtemas.php?d=500) (Diciembre 17, 2013).

[45] Esteban 2008. Cantos de sirena. (www.esteban2008.wordpress.com/2008/02/29/los-cantos-de-sirena/) (Diciembre 17, 2013).

El mito de la sirena viene a ser un compendio de los peligros que, en el viaje de la vida de casados, esperan al matrimonio para servirle de tropezadero. Pero en especial queremos referirnos a la infidelidad. El canto de sirena podría representar al placer inmediato, a lo fácil, a dejarse llevar por los sentidos, y por qué no también por las emociones. Es ceder al tentador llamado de una aventura repleta de pasión que llena los sentidos y no mide consecuencias hasta que es ya demasiado tarde. Suba con su lectura al buque que nos llevará a conocer de cerca esos peligrosos senderos. Adentrémonos en ese "fascinante" mundo de "las sirenas" y estemos listos para distinguir y reconocer sus engañadores cantos.

Iniciemos con una interesante narración bíblica en la que se cuenta un acto de infidelidad. Un joven incauto se expuso al peligro y oyendo los cantos de sirena creyó cada palabra que escuchó; mientras corría a los brazos de la muerte se sentía el hombre más afortunado del planeta. Esta es la historia:

Estaba un día mirando a través de la persiana de mi casa y vi algo que me atrajo la atención. Eran unos jóvenes que parecían no tener sentido común. Como que nada les importaba. Por cierto, uno de ellos parecía estar totalmente falto de juicio. Lo vi cruzar la calle, llegar a una esquina y encaminarse hacia la casa de una mujer. El día llegaba a su fin, y las sombras de la noche avanzaban.

De pronto la mujer, con aspecto de mujer de la noche y con visibles intenciones malsanas, vio que él se acercaba a su casa y salió a su encuentro. Allí mismo, en la calle, lo abrazó y lo besó. Con todo descaro le dijo: "Salí de la casa precisamente para buscarte, y te he encontrado. Mi cama está arreglada con sábanas de lino fino importadas y perfumadas con perfumes traídos de lugares exóticos. Ven, bebamos de la copa del amor hasta el amanecer. Mi esposo no está en casa. Ha emprendido un largo viaje y no regresará por varios días".

Con palabras persuasivas lo convenció; con lisonjas de sus labios lo sedujo. Y él en seguida fue tras ella, como el buey que va camino al matadero; como el ciervo que cae en la trampa, hasta que una flecha le abre las entrañas; como el ave que se lanza contra la red, sin saber que en ello le va la vida. Así que, hijo mío, escúchame; presta atención a mis palabras. No desvíes tu corazón hacia sus sendas, ni te extravíes por sus caminos, pues muchos han muerto por su causa; sus víctimas han sido innumerables. Su casa lleva derecho al sepulcro; ¡conduce al reino de la muerte!

La isla de las sirenas

Este pasaje nos ilustra cómo una persona, hombre o mujer, puede ser seducida o seducir con palabras lisonjeras tal como lo hacía el canto de las sirenas. La infidelidad narrada aquí nos muestra decisiones o acciones que las personas toman en determinado momento, las que les facilitan el caer en la trampa de la infidelidad. Veámoslas:

<u>Acercarse a la isla de las sirenas: Exponerse</u>

Algunos hombres para cometer adulterio visitan los prostíbulos. En ese caso desde el mismo momento en que un hombre se encamina a un lugar de esos va con toda la intención de estar con una mujer que vende su cuerpo. Nadie diría: "*Oh, fui allá pero no pensaba acostarme con ninguna mujer, sólo estaba paseando*", y si lo dice nadie le creería.

Pero acercarse a la isla de las sirenas significaría sólo coquetear con el peligro. Es exponerse a situaciones peligrosas aunque no necesariamente con el propósito o con la decisión tomada de cometer adulterio. Hay cierta emoción con jugar, arriesgarse un poco rondando el peligro, para luego alejarse de él. La intención inicial puede ser exponernos un poco con la idea errónea de que se tiene el control y que se puede parar a voluntad. Pero hay que ser conscientes que sólo "coquetear" es ya demasiado peligroso y que muchos no han podido regresar a tiempo ni a salvo. Porque acercarse a la isla de las sirenas es como entrar a un campo minado. Una vez adentro lo que parecía un juego deja de serlo y el peligro es inminente.

El hombre joven de la historia narrada en Proverbios dice que se dirigió a la casa de ella. Vamos a pensar que sólo quería ver si ella estaba fuera de la casa para mirarla de lejos, pero él "*no contaba con su astucia*" (como diría un superhéroe hispano). Ella lo vio y con toda mala intención salió a su encuentro.
Otro elemento que hacía más peligrosa la situación es que estaba cayendo la noche. La oscuridad era una aliada en contra de la prudencia. Se nota que este hombre se acercó a un terreno de alto riesgo. Como ya dijimos, este incauto fue al encuentro de una aventura que posiblemente no planeaba, ni esperaba que escalaría a los niveles que llegó. Pero el problema estuvo en que se expuso demasiado a un "juego" muy peligroso, porque la mujer —usando todas sus artimañas— lo sedujo. Aunque tampoco notamos mucha resistencia en el joven. Lo cierto es que fue a "oír cantos de sirena y le salió loba del mar".

Hay peligros que con buen juicio se pueden evitar. Así como un alcohólico en proceso de curación evita pasar por ciertos lugares o reunirse con los excompañeros de bebida, todo hombre o mujer prudente evitará situaciones que le expongan a peligros innecesarios. Uno de ellos es cuando una persona casada se permite tener como confidente a una persona de otro sexo. Esto es un riesgo innecesario. Ese lugar debe llenarlo el cónyuge, un consejero(a) profesional, o líder espiritual. Si necesita una persona de confidente, preferiblemente busque un amigo o amiga de confianza de su propio sexo. Puede funcionar muy bien otra pareja suficientemente madura como para que les sean de ejemplo y apoyo en su vida de casado.

Es recomendable que en su empleo haga cosas simples pero que mandan el mensaje claro de que usted es una persona casada y que respeta a su cónyuge. Cosas como siempre usar su anillo de bodas. Tener una foto del cónyuge o de la familia en su escritorio, cuando es posible. No comentar las dificultades del hogar. Estas nunca debieran ser el tema de una sobremesa. Reserve ese tema para hablarlo con su consejero o confidente. Rechace abierta y tajantemente cualquier insinuación sexual, por pequeña que parezca. No participe en conversaciones de tinte sexual o que puedan dar pie a comentarios sexuales. Afirme sus valores abiertamente y sin temor.

Vivimos en una sociedad con una crisis de valores, de doble moral. Esto es más profundo que una crisis moral, que consiste en saber lo bueno y escoger hacer lo malo. Pero la crisis de valores es una confusión moral en la que todo parece admisible. Todo lo malo es un poco bueno y todo lo bueno es un poco malo. Su lema es: Vive y deja vivir.[46] No debemos sentirnos incómodos ni

[46] Carlos Cuauhtémoc Sánchez. Código de honor. Audiolibro (Giron Books, 2004).

avergonzados al decir que tenemos un código de valores y que vivimos por él. Puede que le hagan burla pero en su interior lo que sentirán es admiración y respeto. Tal vez nunca se lo digan pero en el fondo de su ser quisieran ser como usted.

Deleitarse con los cantos de sirena. Halagos, elogios y adulaciones

Igual que las sirenas seducían con sus cantos, la mujer de la historia narrada en Proverbios usa un sinnúmero de lisonjas, adulaciones y palabras cargadas de sensualidad para hacerlo caer en sus redes. Dice la historia que ella lo vio desde su casa y entonces salió a su encuentro, pero lo que ella le dice es: *"Salí de mi casa precisamente a buscarte y te he encontrado"*. Haciéndole creer que necesitaba verlo, que él era muy importante para ella y que salió a buscarlo. Al escucharla, él piensa: *"¡Uao! Me estaba buscando a mí"*. *"Hay muchos otros hombres, pero me prefirió a mí, está interesada en mi"*. ¡Pobre tonto e ingenuo! Cayó rendido ante la invitación abierta que descaradamente ella le hizo, a aprovechar que su esposo no estaba en casa para acostarse juntos. Él prestó oídos a las palabras de ella. Se dejó convencer, seducir de sus artimañas. Él escucha una música de conquista. Pero el anciano que mira a través de las celosías escucha música fúnebre.

Cuidado con esas voces que nos invitan a la infidelidad y que pintan todo como una fabulosa aventura de la cual nadie jamás se enterará. Un buen ejemplo de esto es la canción de Lolita Flores, llamada: "¿Quién lo va a saber?", que entre otras cosas dice así:

¿Quién lo va a saber
si yo te llevo en mi mente?
¿Quién se puede interponer?
¿Quién lo va a saber
si en mis noches yo te sueño?
¿Quién mis sueños, sabe quién?

¿Quién lo va a saber
si tú me entregas tu boca
Y yo te doy mi clavel?
¿Quién lo va a saber
si mi nombre no lo nombras?
¿Quién lo puede suponer?

¿Quién lo va a saber
si me estrechas entre tus brazos
Y te juntas con mi piel?
¿Quién lo va a saber,
si los campos nunca hablan?
Dime, ¿quién lo va a saber?.[47]

Si una voz como esta ha sonado en sus oídos, sepa que es un canto de sirena. ¡Porque sí se va a saber! Y aunque no llegara a saberse, Dios lo sabe. Digámosle a Lolita que Dios lo sabe. Y él no tendrá por inocente al culpable. Y siempre cosechamos, amigo mío, aquello que sembramos.

---

[47] Álbum, canción y letra. ¿Quién lo va a saber? http://www.albumcancionyletra.com/quien-lo-va-a-saber_de_lolita-flores_91542.aspx (Noviembre 4, 2013).

Si hablamos del trato con otra persona, se dan las miradas, el contacto leve e intencional. Tratar de estar más tiempo juntos. Estar juntos en el grupo o frente a otros, ya que esto suele aminorar la conciencia diciendo: "No estamos solos" o "Estamos con otros, nada puede pasar". Se finge sólo una amistad mientras otros ven algo más en la relación. Finalmente tratarán de estar solos y brindarse cariño.

Hemos ayudado tanto a hombres como a mujeres en proceso de recuperación después de una infidelidad. Curiosamente, nunca pensaron que le faltarían a su cónyuge de esa forma, pero no se cuidaron de cosas tan sencillas como las mencionadas. La gran mayoría, cuando se dieron cuenta de que estaban cruzando una línea, que esa amistad se estaba saliendo de control, en lugar de abandonarla comenzaron a buscar excusas y razones para sostener su incapacidad de ser fieles.

Algunos terminaron acusando descaradamente al cónyuge de ser responsable de su infidelidad. Eso es típico, cuando somos adormecidos por los cantos de sirena tendemos a racionalizar nuestra situación y buscamos excusas para la actitud que tomamos.

Bob Record en su libro Cuidado con el Iceberg dice que las excusas más comunes para los que están cayendo en la trampa de la infidelidad son cosas como: *"Yo puedo manejar esto; no dejaré que se salga de mi control". "Dios quiere que yo sea feliz". "No quiero que nadie salga lastimado". "Lo que pasa es que usted no comprende mi situación".*[48] *¿Será acaso ese su caso?*

---

[48] Bob Record, Cuidado con el Iceberg, (El Paso: Editorial Mundo Hispano), p. 28.

Presa fácil (La caída)

Una vez que un hombre o una mujer ha caminado sin discernimiento en los dos pasos arriba mencionados, será una presa fácil para caer en la infidelidad. Al llegar a este punto, pocos hombres o mujeres pueden resistir la tentación. Al comienzo piensan que tienen el control de la situación, pero pronto se dan cuenta que el poder seductor de esas voces de sirena eran mucho más fuertes de lo imaginado. Pero que no sólo era la fuerza, porque en verdad no era una lucha, pues no se contaba conque el néctar de lo prohibido tendía a adormecer los sentidos, y aunque la razón continúa gritando: "Para", "Detente", su voz, ya por sí débil, era ahogada por los gritos melodiosos, irresistibles y enloquecedores de la pasión del momento. Acelerado el corazón, es silenciada la razón y reina entonces la pasión que ya no se inhibe de nada.

En la historia que nos narra Proverbios dice:
"Con palabras persuasivas lo convenció; con lisonjas de sus labios lo sedujo. Y él en seguida fue tras ella, como el buey que va camino al matadero; como el ciervo que cae en la trampa, hasta que una flecha le abre las entrañas; como el ave que se lanza contra la red, sin saber que en ello le va la vida". Es cierto que el dulzor del momento puede durar horas, días, semanas o meses, pero el fin del sueño llega cobrando siempre su costosa, altísima tarifa.

La infidelidad afecta profundamente la relación de una pareja. La infidelidad trae desconfianza, dolor, distanciamiento emocional y en muchos casos el rompimiento total. No sólo la pareja es afectada, sino la familia completa. Los hijos se ven atrapados entre las decisiones de sus padres y son arrastrados a profundos pozos de depresión. Ellos sufren enormemente al ver que todo su mundo se resquebraja y al sentirse incapaces de arreglarlo. Conocemos tantos casos en los cuales las personas involucradas, profundamente adoloridas y arrepentidas de su error, quisieran retroceder en el tiempo y nunca haber cometido el desliz. No es sino “hasta que una flecha les abre las entrañas” que pueden evaluar el costo de su infidelidad.

Evite ser parte de las estadísticas

Casi resultan innumerables los casos de personalidades que lo perdieron todo, su honor, su posición o ministerio y en algunos casos hasta la familia, cuando seducidos por esas voces de sirena de las que hemos hablado, se lanzaron a los tentadores brazos de la infidelidad. Al principio todo casi parecía un juego, una diversión, algo que aunque había que mantener en secreto, no tenía el poder de causar mayor daño. Sí, todo lucía como perfectamente dominable, a la vez que atrayente y seductor. Algunos se dijeron para sí mismos, sólo voy a coquetear un poco, sé que jamás pasaré la raya o la línea.

Están en la historia nombres como Jim Baker, director del Club PTL, quien se vio involucrado en un escándalo sexual con su secretaria y otro escándalo financiero que lo llevó a la cárcel. Baker luego escribió el libro: *I was wrong* [Me equivoqué].[49]

Otro caso muy cerca al pueblo evangélico fue la caída del conocido teleevangelista Jimmy Swaggart. Los

[49] La Nación, Jim Bakker. http://www.lanacion.com.ar/829610-jim-bakker-el-predicador-de-la-gran-estafa.(Febrero 2, 2012).

programas de Swaggart eran vistos por más de ocho millones de personas a la semana en todo el mundo. Delante de la congregación de más de 7,000 personas y de los televidentes, se vio forzado a confesar que había pecado. Según el reporte de prensa, otro pastor a quien Swaggart había denunciado por cosas similares había decidido presentar fotos de Swaggart en compañía de una prostituta. Swaggart vio su testimonio, ministerio e influencia venirse abajo porque no aprendió nada del caso en que se vio involucrado el otro pastor que él mismo denunció.[50]

Se mencionan estos casos no para arrojar lodo a la cara de los implicados. Lo que se pretende es llamar la intención del lector mediante esta voz de alerta que grita: Miremos a estos hombres y que su dolor y quebranto nos sean de advertencia para no cometer los mismos errores y pecados. Porque como dice el refrán: "Es de sabios aprender de los errores ajenos".

Conservo una foto del ex gobernador del estado de New York, Eliot Spitzer, que perdió su puesto y su reputación de hombre probo al descubrirse su relación con una prostituta. Su imagen en la foto habla de frustración, dolor, impotencia, remordimiento. He aquí algunas de las expresiones dichas por Spitzer, según el reporte de prensa:

> *"Siempre me acompañará el sentimiento de culpa". "Siento mucho no haber estado a la altura de lo que se esperaba de mí. Con toda sinceridad, pido perdón". "He actuado de una forma que viola mi obligación hacia mi familia y viola mi sentido, así como cualquier sentido de lo correcto o lo*

[50] Rapture ready. Todos ama a un.... http://www.raptureready.com/translation/spanish/rap-hypocrites_ (Febrero 2, 2012).

> *incorrecto". "Pido disculpas en primer lugar, y el más importante, a mi familia. Pido disculpas al público a quien prometí hacerlo mejor. He decepcionado y fracasado en cuanto a estar a la altura de los estándares que se esperaban de mí. Ahora debo dedicar algún tiempo a recuperar la confianza de mi familia".*[51]

Es doloroso ver lo que ha ocurrido. Debemos vernos en su ejemplo y aprender la lección siendo fieles a los principios que predicamos. Como ya hemos expresado, la infidelidad trae consigo un dolor más allá de lo inimaginable. Unas ganas incontrolables de hacer retroceder el tiempo y enmendar el error. Nuestra incapacidad de hacer esto último aumenta la angustia y la desesperación. Y como si fuera una conspiración, nuestra mente nos lo hace vivir una y otra vez.

Lo interesante es que la Biblia nos advierte de eso. Ella alza su voz procurando llamar nuestra atención y librarnos de esos dolores. El capítulo 5 de Proverbios dice cosas como: *"¡Goza con la compañera de tu juventud!" Aléjate de la mujer ajena; ni siquiera te acerques a la puerta de su casa, para que no pierdas la riqueza de tus años en manos de gente extraña y cruel; para que ningún extraño se llene con el fruto de tu esfuerzo y tu trabajo". De lo contrario, acabarás por lamentarlo cuando tu cuerpo se consuma poco a poco. Y dirás: "¡Cómo pude despreciar la corrección! ¡Cómo pude rechazar las reprensiones!"* ¿Acaso no está la realidad de los que han visto cómo otros toman sus puestos y a ellos sólo les queda remordimiento, angustia y aquel amargo sabor de "yo lo sabía"?

[51] Elpais.com. Gobernador de New York involucrado en escandalo prostitución. http://www.elpais.com/articulo/internacional/ gobernador /Nueva/York/involucrado/escandalo/prostitucion/elpepuint/200803 10elpepuint_9/Tes). (Febrero 2, 2012).

Recordemos un sonado caso de la realeza israelita. Se trata de David hijo de Isaí. El segundo rey en ocupar el trono de Israel pero el más renombrado de todos ellos. Se le conocía también como "el dulce cantor de Israel".[52] David había tenido siete esposas y muchas concubinas cuando conoció a Betsabé. Esto me hace pensar que el llamado a la infidelidad no tiene límites. No es un asunto de números sino de la actitud del corazón. David pecó gravemente al recurrir aun a la muerte de uno de sus fieles soldados por quedarse con su mujer. Es admirable la manera en que Dios mediante el profeta Natán le hace caer en cuenta de su pecado. Leamos:

> *El Señor envió a Natán para que hablara con David. Cuando este profeta se presentó ante David, le dijo: Dos hombres vivían en un pueblo. El uno era rico, y el otro pobre. El rico tenía muchísimas ovejas y vacas; en cambio, el pobre no tenía más que una sola ovejita que él mismo había comprado y criado. La ovejita creció con él y con sus hijos: comía de su plato, bebía de su vaso y dormía en su regazo. Era para ese hombre como su propia hija. Pero sucedió que un viajero llegó de visita a casa del hombre rico, y como éste no quería matar ninguna de sus propias ovejas o vacas para darle de comer al huésped, le quitó al hombre pobre su única ovejita. Tan grande fue el enojo de David contra aquel hombre, que le respondió a Natán: ¡Tan cierto como que el Señor vive, que quien hizo esto merece la muerte! ¿Cómo pudo hacer algo tan ruin? ¡Ahora pagará cuatro veces el valor de la oveja! Entonces Natán le dijo a David: ¡Tú eres ese hombre! Por eso la espada jamás se apartará de tu familia, pues me despreciaste al tomar la esposa de Urías el hitita*

[52] 2 Samuel 23:1, RVR60

para hacerla tu mujer. Pues bien, así dice el Señor: Yo haré que el desastre que mereces surja de tu propia familia, y ante tus propios ojos tomaré a tus mujeres y se las daré a otro, el cual se acostará con ellas en pleno día. Lo que tú hiciste a escondidas, yo lo haré a plena luz, a la vista de todo Israel.[53]

Las caídas sexuales muy raras veces son accidentales

Bien vale recordar que David se arrepintió de su pecado pero sus consecuencias fueron altas. David pagó con creces su pecado. El hijo de aquella unión murió. Su familia sufrió grandes males. La espada estuvo entre ellos. Amnón, hijo de David, violó a su hermana Tamar. Absalón, otro hijo de David, mató a su medio hermano Amnón. Además se levantó contra su padre David e intentó tomar el reino y en pleno día y frente al pueblo tomó las mujeres de David. El reino se dividiría y sus hijos finalmente no lo retendrían. Muchas, muchas lágrimas y mucha más sangre le costó aquel pecado. Aquel acto realizado en lo oculto Dios lo trajo a la luz. Aprovechemos para recordar que nada hay oculto que no vaya a ser revelado.

Las caídas sexuales no son accidentales. Aun en aquellos casos no planificados, si se dan las caídas obedecen a un debilitamiento de las fibras morales de los involucrados. Normalmente se presentan señales de aviso que estamos ante una situación peligrosa o potencialmente peligrosa. La persona empieza a permitirse pensamientos sexuales con otras personas. Tal vez al principio los combata, pero esa resistencia se hace cada vez menor, hasta que los pensamientos son continuos y cada vez más profundos y explícitos.

[53] 2 Samuel 12:1-12 (RV 60)

Las miradas al sexo opuesto son cada vez más frecuentes y atrevidas. Se expone a material sexual o pornográfico, que tal vez ante rechazaba. A este punto se trabaja con toda clase de ideas y razonamiento que justifiquen tal acción, a fin de paliar la voz de la conciencia. Pero el hombre sabio y la mujer prudente optarán por rechazar enérgicamente el placer inmediato, fácil, pasajero, reforzando la unidad con su cónyuge o buscando ayuda para mejorar la relación. Recuerde, todo el poder de Dios está de su parte para que su relación funcione.

Concluimos con este poema que escribiéramos a modo de reflexión cuando contemplábamos a una persona que, cual el personaje mitológico Ulises, jugaba con su vida por coquetear con los dulces e irresistibles cantos de sirenas. El poema se titula Mariposita. ¡Que no sea este su caso!

Mariposita

Mariposita, mariposita de alas doradas
no te acerques, por favor, tanto a la flama
peligra tu existencia de alas pintadas,
no te acerques, mariposita a la ardiente llama.

Y la mariposita de alas doradas contestó emocionada:

Es que es tan intenso el brillo de la llama,
que me embruja, me hechiza y hacia ella me llama,
sé que corro peligro al acercarme a la flama
pero quiero ver de cerca el esplendor de la llama.

Mariposita, mariposita de alas doradas,
consciente estás del peligro que hay en la llama
¿Qué sería de ti sin tus doradas alas?
Aléjate mariposita, aléjate de la flama.

Y contestó la mariposita de doradas alas:

Son sus formas y colores lo que atrae mi alma,
es ese tibio sentimiento de coquetear con la llama.
yo sé que hay peligro al acercarme a la flama,
pero igual yo me acerco porque estoy enamorada.

Mariposita, mariposita de alas doradas
te confundiste en un abrazo con la ardiente llama
te conquistó con sus destellos y sus formas raras.
Has perdido para siempre, mariposita, tus doradas alas.

Preguntas para discusión: 

1. ¿Qué es un canto de sirena para usted? Mencione uno en particular que le haya despertado curiosidad en su peregrinaje matrimonial y diga qué hizo para no caer en sus fauces.

2. ¿Qué acciones facilitan el camino para caer en la trampa de los cantos de sirena? ¿Cómo se pueden evitar?

3. ¿Se acerca con facilidad a la isla de las sirenas para oír sus cantos y comprobar así que no cede a ellos?

4. ¿Identifica usted los cantos de sirena en su ambiente laboral, en su centro de estudios y hasta en su propia iglesia? ¿Qué haría para mantenerse firme y rechazarlos aun cuando tenga que enfrentarlos directamente?

5. En base a los casos mencionados en este capítulo, ¿Estaría usted dispuesto a arriesgarse a experimentar por sí mismo - como el joven de Proverbios que estudiamos - o a "experimentar" (aprender) por cabeza ajena considerando los ejemplos de los personajes que cayeron— para asegurarse la victoria?

Capítulo 7

La regla de oro

Conducta de Diamante

"Así que en todo traten ustedes a los demás
tal y como quieren que ellos los traten a ustedes.
De hecho, esto es la ley y los profetas".
Mateo 7:12, NVI

La regla de oro

Conducta de Diamante

Para finalizar estos pensamientos hemos escogido hacerlo con la muy famosa regla de oro. Esta forma parte de las enseñanzas de Jesús en lo que se conoce como Sermón de la montaña. Al parecer de algunos eruditos, esta es la parte más famosa y conocida de todas las enseñanzas de Jesús. Uno de ellos dice: *"Esta es probablemente la cosa más universalmente famosa que dijo Jesús. Con este mandamiento el Sermón del monte alcanza su cima. Este dicho de Jesús se ha llamado 'la piedra clave de todo el discurso'. Es la cima más alta de la ética social, y el Everest de toda la enseñanza ética".*[54]

Es en Mateo 7:12 que encontramos esta enseñanza: "Así que en todo traten ustedes a los demás tal y como quieren que ellos los traten a ustedes. De hecho, esto es la ley y los profetas". Es acertado pensar que estas palabras son como un resumen de las enseñanzas éticas que Jesús ha dado durante su exposición. El "Así que..." lo conecta con el resto de las enseñanzas sobre las correctas relaciones que debemos tener con otros. Los pertenecientes al reino de Dios deben practicar la regla de oro en todas sus relaciones, en sentido general como se percibe en 5:7-9, 33 al 37. Y de lo general a lo particular, con los hermanos 5:21-26 y especialmente en el trato con los enemigos 5:38-48. En la regla de oro Jesús nos ordena dar, ofrecer, prodigar la misma calidad de trato que quisiéramos que los demás nos dieran a nosotros.

---

[54] Barclay, p. 144.

Llama poderosamente la atención que Jesús dijera que hacer esto es "la ley y los profetas". En otras palabras, que el que toma esa actitud hacia el resto de sus congéneres cumple con todas las demandas tanto de la ley dada a Moisés por la cual debía vivir el pueblo, así también como por todo lo enseñado por los profetas de Dios. Esta es, sin lugar a dudas, una declaración suprema de Jesús. Primero vemos la capacidad de Jesús para resumir en una corta declaración toda la demanda de la ley y de los profetas. También se muestra que la fe es un asunto eminentemente práctico. Más allá de las ceremonias y los ritos, la fe se revela y se encarna en mi relación con otros. Mi fe se hace palpable en el trato que le prodigo a mis semejantes.

De poco vale, por no decir de nada, una fe que no pueda mostrar evidencia de su existencia. Una fe que nadie la pueda ver. Una fe que no se perciba en el modo de hablar, en el comportamiento, en el trato humilde, amable y respetuoso de los demás. No puedo alegar que mi fe es sólo con Dios. Un acercamiento a Dios afecta el carácter y con él todas las relaciones. Igual, si estoy en falta con los hombres lo estaré con Dios. Recordemos algunas enseñanzas de Jesús emitidas en este mismo sermón:.

"Así que, si al llevar tu ofrenda al altar te acuerdas de que tu hermano tiene algo contra ti, deja tu ofrenda allí mismo delante del altar y ve primero a ponerte en paz con tu hermano. Entonces podrás volver al altar y presentar tu ofrenda".[55]
"...Pero yo les digo: Amen a sus enemigos, y oren por quienes los persiguen. Así ustedes serán hijos de su Padre que está en el cielo".[56]

[55] Mateo 5:23-24, DHH.
[56] Ibid, 5:44-45.

"Porque si ustedes perdonan a otros el mal que les han hecho, su Padre que está en el cielo los perdonará también a ustedes; pero si no perdonan a otros, tampoco su Padre les perdonará a ustedes sus pecados.[57]

El libro de Mateo registra dos ocasiones más en la que Jesús hace mención de la expresión "la ley y los profetas". La primera fue iniciando el Sermón de la montaña cuando dijo: "No crean ustedes que yo he venido a suprimir la ley o los profetas; no he venido a ponerles fin, sino a darles su pleno valor". Jesús es nuestro gran Maestro y ejemplo a seguir. Él vino a cumplir la ley y los profetas, y al hacerlo nos dio ejemplo para que le imitáramos.

El apóstol Pedro, recordando el ejemplo de Jesús, escribió en su primera carta 2:21-23: *"Pues para esto los llamó Dios, ya que Cristo sufrió por ustedes, dándoles un ejemplo para que sigan sus pasos. Cristo no cometió ningún pecado ni engañó jamás a nadie. Cuando lo insultaban, no contestaba con insultos; cuando lo hacíansufrir, no amenazaba, sino que se encomendaba a Dios, que juzga con rectitud".* Cumpliendo la ley y los profetas mostró amor hacia sus criaturas.

La segunda mención que hace Mateo de la expresión *"la ley y los profetas"* está registrada en el capítulo 22:40. Jesús responde a la pregunta sobre cuál es el mandamiento más importante y él dice que amar a Dios con todo el corazón y el alma; y que el segundo es muy similar, amar al prójimo como a uno mismo. Y concluye diciendo: *"De estos dos mandamientos dependen toda la ley y los profetas".*

---

[57] Ibid, 6:14-15.

Amar a Dios como la mayor prioridad de la vida nos llevará también a amar a mi prójimo. Y amarlo como a mí mismo es darle la mejor calidad de trato que yo pueda darle. Al hacerlo se cumple con todas las demandas de la ley y los profetas.

Como se puede apreciar, la regla de oro es la esencia misma de la doctrina del reino. Esa esencia es el amor. Dios, que está detrás de la ley y los profetas, es amor. Es por el amor del Padre a través de su Hijo que somos redimidos en la cruz. La regla de oro resume lo que Jesús espera de cada uno de sus seguidores, a saber: que nos amemos como él nos ha amado. Al amarnos mostramos que conocemos al Dios de amor. Que somos alcanzados por su Hijo y llenos de la presencia del Santo Espíritu. Y no podemos decir que amamos a Dios si no amamos a nuestro hermano, porque dice la Escritura: Y nosotros tenemos este mandamiento de él: El que ama a Dios, ame también a su hermano.[58]

Aunque el principio de la regla de oro aparece en otras religiones del mundo hay enormes diferencias. El amor, mencionado anteriormente, es uno de ellos. Otro es que Jesús nos lo presenta como requisito para obtener el cielo; Jesús describe las características de aquellos que van al cielo. Describe cómo son y cómo viven sus seguidores, a los cuales él les promete el cielo. Otra diferencia es que tampoco es presentado este principio como simplemente algo bueno para realizar y a lo cual nos avocamos. Es claro que es un deber característico de sus discípulos. Un estilo de vida del que le sigue. Pero aun más, que no es posible hacerlo sin él.

---

[58] 1 Juan 4:8 (RV 60)

¿Qué pasaría en nuestro hogar, en nuestro lugar de trabajo, en nuestra ciudad si todos practicáramos y atendiéramos la regla de oro? Practicando la regla de oro alcanzaremos una conducta de diamante. ¿Y qué hogar no la necesita? Pero, ¿cómo, cuándo y dónde debo aplicar la regla de oro? La única respuesta válida sería: De todas las formas posibles; en cada oportunidad que tenga; en todo lugar que pueda.

Practicando la regla de oro alcanzaremos una conducta de diamante

¿Cómo quisiera que los demás lo traten cuando llega a casa? Por favor, haga una pequeña lista aunque sea mental sobre el tipo de trato que desearía recibir en casa. Tal vez cosas como: Sentirse amado o amada. Que se le reconozca lo que hace. Que se le muestre respeto y que se le admira. Le gustaría recibir palabras de estímulo y felicitaciones por sus logros. Escuchar más "por favor" y "gracias". No recibir insultos, calumnias, vejaciones, abusos, groserías, discrimen y palabras hirientes. No ser ignorado(a). Que le hagan sentirse a gusto en casa; sentir seguridad y paz en su hogar. ¿Estarían estas cosas en su lista? ¡Perfecto!

Por favor, tome esa lista y practíquela con cada miembro de su familia. Esa es la clase de la regla de oro de Jesús; no es sólo que no hago lo malo que no quiero recibir, sino más bien que hago todo lo bueno que deseo recibir. Es una actitud proactiva que me lleva a la acción de las cosas positivas, no sólo a la inacción de las negativas.

Si hay alguien con quien se debe practicar la regla de oro esa persona es su cónyuge. Siendo la pareja el centro del hogar y el hogar el centro de la sociedad, bien vale practicar la regla de oro para que la influencia sanadora y reconstituyente que hay en practicarla comience afectando la vida conyugal. Luego prosiga con todas las relaciones en el hogar (padres-hijos, hermanos-hermanos, etc.). Eso hasta que salga a la calle y afecte la forma en que se comporta con los vecinos. La forma en que conduce su auto, hasta la forma en que trata a los animales.

¿Habrá algún problema que no se pueda resolver en el hogar si los cónyuges se tratan uno a otro como quisieran ellos mismos ser tratados? ¿Qué tal si trata de descubrir lo que le agrada a su cónyuge y trata de complacer a esa persona amada?

Por favor, hágase preguntas como estas y vea si usted ha estado violando la regla de oro en la relación conyugal.

1. ¿Me gustaría que la otra persona me trate como yo la he estado tratando últimamente?

2. ¿Cómo me sentiría si me enterara de que mi "media naranja" está diciendo de mí lo que yo he estado diciendo de ella?

3. ¿Qué tal si mi cónyuge empieza a usar las mismas excusas que yo he estado usando?

4. ¿Cómo me sentiría si mi cónyuge comienza a usar las mismas palabras y los mismos tonos que he empleado para hablarle últimamente?

5. ¿Me gustaría que mi cónyuge imitara mis actitudes y mi comportamiento en general?

Si usted encuentra que no le gustaría recibir de su cónyuge el mismo trato que le ha estado dando, es porque ha caído por debajo de la norma que Jesús estableció para regir todas las relaciones humanas. Si usted reconoce su falta ante Dios y ante la persona que ha agraviado, puede comenzar a avanzar por el camino del perdón, el acuerdo y la reconciliación.

Como ya hemos expresado, seguir la regla de oro nos dará un comportamiento de diamante y todos, todos lo necesitamos. Arriba su ánimo, su matrimonio aún tiene esperanza. No se rinda. Levántese, pida la dirección de Dios y manos a la obra.

Preguntas para discusión:

1. La regla de oro resume lo que Jesús espera de cada uno de nosotros, ¿le es fácil a usted actuar en siguiendo a esa regla?

2. ¿Practica usted en su matrimonio la regla de oro? Explíquese.

3. ¿Qué le parece que su cónyuge empleara el mismo tipo de trato que usted le dispensa? ¿Qué haría para arreglar lo que requiera corrección?

4. ¿Qué pasaría en nuestro hogar, en nuestro ambiente laboral o en nuestra ciudad si todos practicáramos la regla de oro?

Bibliografía

1. Alix, Juan Antonio. Décimas Dominicanas de Ayer y de Hoy. Santo Domingo: Publicaciones América, 1986.

2. Álbun canción y letra. ¿Quién lo va a saber? http://www.albumcancionyletra.com/quien-lo-va-a-saber_ de_lolita-flores___91542.aspx.

3. Aguiló, Alfonso. s/f. Caracter-libertad-compromiso. http://www.interrogantes.net/Caracter-libertad-compromiso/menu-id-22.html.

4. Barclay, William. Comentario al Nuevo Testamento. Volumen 1 – Mateo. Barcelona: Clie, 1995.

5. Biblia, Nueva Version Internacional. Editorial Vida, 1999.

6. Biblia, Reina Valera 1960. Editorial Vida, 1989.

7. Biblia, Dios Habla Hoy. Sociedades Bíblicas Unidas, 1996.

8. Conciencia animal. Cantos de sirena.http://www.concienciaanimal. cl/paginas/ temas/imprimirtemas.php?d=500.

9. Construyendo un mundo mejor. Temperamentos. http://nelmazuera.blogspot com/2010_09_27_archive.html.

10. Definicion.de. Compromiso. http://definicion.de/compromiso.

11. Eggerichs, Emerson. El lenguaje de amor y respeto. Nashville:Grupo Nelson, 2010.

12. El Bufón Digital. Quemar las naves... ¿Quién fue el primero? Alejando Magno Vs Hernán Cortez. http://elbufondigital. Blogspotcom/ 2008/01/ quemar-las-naves quien-fu-el-primero.html.

13. Esteban 2008. Cantos de sirena. http://esteban2008. wordpress.com /2008/02/ 29/ los-cantos-de-sirena/.

14. Elpais.com. Gobernador de New York involucrado en escandalo prostitución. http://www.elpais.com/ articulo/ internacional/ gobernador.

15. García, Miguel. El Caballo de Troya, http://recuerdosde pandora.com/mitos/el-caballo-de troya.

16. Impacto Familiar. Seminario de Vida Familiar (Litter Rock: Christian Life Incorporated. 2003.

17. Lago, José I. ¿Cómo era Troya? http://www.historialago. com /leg_troy_ 01015_ comoera_01.htm.

18. La Nación. Jim Bakker. http://www.lanacion.com. ar/829610-jim-bakker-el-predicador-de-la-gran-estafa.

19. Maxwell John C. Ética la única regla para tomar decisiones. Miami: Editorial Peniel.

20. Maxwell, John C. Las 17 Cualidades Esenciales de un Jugador de Equipo; Nashville: Thomas Nelson, Inc., 2001.

21. Nos divorciamos.com. Las alarmantes estadisticas del divorcio. http://www.nosdivorciamos.com/?quien=bW9kdWxvPWludGVybmEmdGFibGE9YXJ0aWN1bG8mb3BjaW9uPTE3.

22. Nelmazuera. Temperamentos. http://nelmazuera.blogspot. com/2010_ 09_27 _archive.html.

23. Ortega y Gasset, José. Meditaciones del Quijote. Madrid: Publicaciones de la Residencia de Estudiante, 1914.

24. Paez, Oswaldo. Amar y querer. http://elblogdelbolero.wordpress.com/2008 /06/25/manuel-alejandro-el-compositor-del-amor/ (Octubre 12, 2013).

25. Poemas del alma. Cultivo una rosa blanca. http://www.poemas-del-alma.com/jose-marti-cultivo-una-rosa-blanca.htm.

26. Poesía.bligoo.com. Aquiles. http:// poesia.bligoo.com/content/ view123488 /Aquiles.html.

27. Record, Bob. Cuidado con el Iceberg. (El Paso: Editorial Mundo Hispano, 2003.

28. Rapture ready. Todos ama a un...http://www.raptureready.com /translation/ spanish/rap-hypocrites_spanish.html.

29. Sabiduría.com. Venganza. http://www.sabidurias.com/result_tag. php?palabra=venganza&lang=es&tag=1840&_pagi_pg=2.

30. Sánchez, Carlos Cuauhtémoc. Código de honor. Audiolibro. Giron Books, 2004.

31. Sande, K. (2004). Pacificadores: guía bíblica para resolver conflictos personales (pp. 147–148). Billings, MT: Peacemaker Ministries.

32. Wikipedia. Quemar las naves. http://es.wikipedia.org/wiki/Quemar_las_naves. (Abril 21, 2013)
33. Wikipedia. Sirena. http://es.wikipedia.org/wiki/Sirena. (September 4, 2013).

34. Wikipedia. Talón de Aquiles. http://es.wikipedia.org/wiki/Talón_de_Aquiles.(Julio 12, 2013).

35. Wikipedia. http://es.wikipedia.org/wiki/Venganza (Enero 15, 2013).

Del mismo autor puede leer:

Made in the USA
Middletown, DE
20 September 2022